COUSCOUS

Maguelonne Toussaint-Samat

Photographies de Jerôme Van Steenkist

casterman

HISTOIRE GOURMANDE DES GRANDS PLATS

Histoire gourmande des grands plats
Collection créée et dirigée
par l'équipe éditoriale Casterman

Photographies
Jerôme Van Steenkist
Stylisme food
Sylvia Van Gasse
Fonds décorés
Florence Vercheval

Edition
Lillo Canta et Carine Dechaux

Recherche icono
Yaël O'Hayon

Relecture
François de Peyret

Crédits photographiques
DR : 8, 10/11, 12, 13, 16 gb, 30, 31, 32, 33, 34, 35, 36, 37, 38, 39, 40, 41, 42, 43, 44, 45, 46, 47, 48, 49, 50, 51.
Benelux-Press : 16 h, 56, 65. Bibliothèque des Arts décoratifs : 27. B. Boccara : 67. Charmet : 14, 19 d, 63.
Claude Hontoir et Louis Claus : 23. Gamma/Castro : 17 d, 18. Giraudon : 19 g, 28, 58.
Hoaqui/Richer : 17 g, 20, 21, 25, 52, 54, 55, 60. Hoaqui/Valentin : 62 h. Hoaqui/Huet : 62 b. Hoaqui/Gasquet : 66.
I.M.A. du Boisberanger : 57. Lepage : 24, 29. Mahaux : 15. Roger-Viollet : 16 bd, 22, 26, 59, 64.

Copyright © 1994 Casterman
ISBN 2-203-61101-4

sommaire

le couscous, l'art et la manière

Le couscous est considéré comme le plat national des divers peuples d'Afrique du Nord. L'ingrédient principal en est la semoule de blé, appelée aussi couscous, cuite à la vapeur d'un bouillon aromatisé, servi lui-même avec sa viande et ses légumes. S'il existe une recette de base, le couscous connaît de nombreuses variantes, selon les ressources ou les traditions régionales, d'autant qu'avec l'islamisation, il s'est répandu également en Afrique noire.

COUSCOUS MAROCAIN
À LA MODE DE FEZ

Temps

- préparation :
40 minutes
- cuisson :
1 heure 30
- servir aussitôt

Matériel

- une couscoussière
complète comprenant
une marmite *(tajina)*
et une passoire
(keskes)
- un très grand plat
peu profond *(kassaa*
ou *guessa)*
- un fouet araignée
- un grand plat
- un grand plat creux
- une coupelle
- une saucière

Pour 6 personnes
pour le bouillon

- 1,2kg d'épaule
d'agneau, coupée en
6 morceaux
- 500 g de carottes
- 500 g de navets
- 500 g de potiron
- 500 g de courgettes
ou d'aubergines
- 200 g d'oignons
émincés
- 400 g de pois
chiches précuits ou en
conserve égouttés ou
400 g de petites fèves
fraîches et égrenées
- 1 poivron rouge

- 1 cuillerée à soupe
d'huile d'olive
- 1/2 cuillerée à café
de safran en pistils ou
de curcuma
- 1/2 cuillerée à café
de gingembre frais
râpé ou haché
- 1/2 cuillerée à
café de poivre moulu
- 1/2 cuillerée à
soupe de sel
- 1 bouquet de
persil plat
- 1 bouquet de corian-
dre *(kosbor)* verte ou
1/2 cuillerée de corian-
dre en grains pilés

pour la semoule

- 1 kg de semoule
moyenne
- 1 cuillerée à soupe
d'huile d'arachide
- 125 g de beurre
- 1 branche de thym
- 125 g de raisins secs

*pour le confit
d'oignons*

- 800 g d'oignons
- 3 cuillerées à soupe
d'huile d'arachide
- 2 cuillerées à soupe
de miel
- 1 cuillerée à café
de cannelle en poudre

- 1/2 cuillerée à café
de gingembre haché
- 1 cuillerée à café
de sucre en poudre
- 1 pincée de sel

~ Le bouillon ~

• Faites fondre le beurre à l'avance dans une petite casserole, sur feu très doux, avec le thym. Ôtez délicatement la mousse qui se forme à la surface. Réservez à température ambiante.

• Épluchez et morcelez les légumes.

• Dans la marmite, versez deux grands verres d'eau froide, ajoutez l'huile d'olive et les épices. Fouettez la préparation et déposez la viande en mélangeant bien. Portez à feu vif et laissez bouillir pendant 2 minutes, avant d'ajouter la quantité d'eau chaude et salée nécessaire pour couvrir la viande (environ deux litres).

• Joignez les oignons, le persil et la coriandre hachés. Si les carottes et les navets ne sont pas très tendres, mettez-les dès le premier bouillon. Pour les primeurs, attendez 30 minutes que la viande soit presque cuite. Mieux encore, faites-les cuire dans le même temps à la vapeur, en les disposant dans la passoire de la couscoussière et sous un couvercle, en finissant par les plus fragiles, courgettes et potiron. Les pois chiches cuits seront ajoutés au moment de servir.

• Dès que la viande est cuite (comptez 15 minutes par livre), retirez-la du bouillon, afin qu'elle ne se désagrège point et réservez-la au chaud, dans un plat chaud couvert. Procédez de même pour les légumes, dès qu'ils sont cuits à point.

~ La semoule ~

• Quand la viande aura été portée au feu, versez la semoule dans le grand plat. Enduisez vos mains d'huile d'arachide, et travaillez cette semoule en la faisant rouler sous les paumes et entre les doigts, de façon qu'elle soit uniformément imprégnée d'huile.

• Mouillez-la ensuite d'un demi-litre d'eau fraîche, non salée. Roulez toujours les grains en les séparant bien, puis soulevez-les à la fourchette ou avec le fouet pour les aérer et rendre la masse légère. Tout au long de la préparation, il est essentiel que les grains de semoule, gonflant uniformément, se détachent bien les uns des autres sans former de grumeaux. Dans le cas contraire, il faut les piquer à la fourchette pour les désagréger. Laissez reposer pendant 15 minutes.

• Répétez cette opération encore une fois et, après le second repos, mettez la semoule dans la passoire que vous aurez préalablement vidée des légumes qui y ont cuit.

Posez la passoire sur la marmite et faites cuire la semoule à la vapeur du bouillon, sans couvrir, jusqu'à ce que celle-ci passe au travers. Colmatez alors l'interstice entre la marmite et la passoire à l'aide d'un tissu. Il faut compter 10 à 15 minutes.

• Étalez la semoule dans le plat, et laissez refroidir. Aspergez alors d'un tiers de litre d'eau salée tiède et travaillez encore les grains au fouet en les séparant.

• Remettez la semoule dans la passoire, sans tasser, et laissez encore cuire à la vapeur du bouillon pendant une dizaine de minutes.

• Ôtez la passoire, remettez la viande et les légumes cuits dans le bouillon, avec éventuellement les pois chiches précuits. Éteignez le feu.

~ Le confit d'oignons ~

• Pendant que la semoule refroidissait, vous aurez émincé les 800 g d'oignons que vous mettrez dans l'huile chauffant dans une poêle, de façon à les faire fondre doucement. Dès qu'ils sont devenus transparents, ajoutez le miel, la cannelle et le gingembre, le sel et le sucre. Remuez et laissez confire en couvrant pendant la cuisson de la semoule.

~ La sauce ~

• Pour les convives amateurs de goût relevés, présentez séparément dans une saucière du bouillon dans lequel vous aurez dilué de la harissa.

~ Présentation du plat ~

• Pensez à chauffer les plats de service.

• Versez la semoule dans le plat de service. Enlevez le thym du beurre fondu, avant de mettre celui-ci dans la semoule. Mélangez vivement mais avec délicatesse. Ajoutez les raisins secs. Mélangez encore, formez un dôme, et couronnez d'une partie des oignons caramélisés dont vous mettrez le reste dans une coupelle, à disposition des convives.

• Présentez la viande et les légumes avec le bouillon dans le plat creux.

Recette de Mme Maria Chélouati. Restaurant Oum el-Banine, 16 *bis*, rue Dufrenoy, 75116 Paris.

les secrets du couscous

Le raffinement et la perfection de cette recette ancestrale proviennent de sa grande simplicité d'exécution qui peut étonner les non-initiés. Elle ne comporte qu'une sorte de viande – de l'agneau – et quelques légumes frais et tendres à souhait. L'ensemble, cuit à point, est aromatisé d'épices spécifiques. Les Marocains soutiennent qu'il s'agit de la préparation originale dont descendent toutes les variations connues. Ils ont vraisemblablement raison. Il s'agit bien de la manière à la fois la plus simple dans sa mise en œuvre et la plus sophistiquée dans la richesse du goût et la diversité de ses fragrances.

Ce couscous, dit *fassi*, car à la mode de Fez, vieille et puritaine capitale chérifienne, a la réputation d'être le meilleur de tout le royaume. Il donne par sa rigueur et sa sobriété une leçon de gastronomie : point trop

Femme berbère roulant à la main la semoule du couscous.

14

d'ingrédients (peu onéreux mais de première qualité), de façon que ceux-ci expriment leur excellence et leur authenticité, sans cacophonie de goûts, par une conduite de cuisson pointilleuse qui sublime, par son alchimie, toute la quintessence des produits entrant dans sa composition. L'adage épicurien *parvus sed bonus* (peu mais bon) sied parfaitement au couscous à la mode de Fez qui, comme toutes les recettes traditionnelles et familiales, est économique, les savoir-faire accumulés au fil des générations ne faisant qu'améliorer les résultats.

De ce savoir-faire, voici les secrets ou plutôt les conseils qui peuvent conduire au chef-d'œuvre.

Il est indiqué, non point de faire revenir la viande comme dans certaines recettes, mais de la plonger crue dans une émulsion froide d'huile d'olive et d'eau relevée des trois seuls aromates utilisés classiquement, safran ou curcuma, gingembre et poivre. Par une pre-

En haut. **Cuisson du couscous devant une tente de nomades sédentarisés à Tamerza, oasis de montagne au sud de la Tunisie.**

En haut. **Cuisson de la semoule. Un colmatage efficace de la couscoussière favorise une bonne cuisson.**

En bas. **Présentation de la semoule. La semoule est cuite à point lorsque la vapeur s'en échappe.**

En bas. **Présentation du plat: d'abord la semoule, ensuite la viande et les légumes, enfin la sauce.**

mière cuisson conjuguée de ces éléments, la viande s'imprègne des parfums en même temps que les sucs se répandent dans le bouillon en une parfaite osmose. La viande restera goûteuse et tendre, le bouillon savoureux.

La semoule, base du repas, se doit d'être légère et digeste. Afin qu'elle absorbe la juste quantité d'eau nécessaire au gonflement, ce qui la rendra moelleuse et non pâteuse, on enrobe les grains d'une fine pellicule de matière grasse fournie par l'huile dont on garnit ses mains pour la "rouler". L'humidification se fera ainsi lentement et progressivement. Le fouettement augmentera sa légèreté.

Autrefois, on utilisait un jeu de tamis de crin à mailles de plus en plus serrées au travers desquelles on passait les grains mouillés et roulés pour mieux les calibrer. La fabrication industrielle de la semoule rend ces manipulations inutiles. Il existe aussi de la semoule à couscous "précuite", ne demandant qu'un arrosage d'eau bouillante avant un rapide passage au four. Les puristes soutiennent que l'opération du roulage a sa raison d'être.

Le beurre, utilisé traditionnellement pour la liaison, devrait être du beurre de brebis, au léger goût de roquefort. Mais en ville, on utilise du beurre salé ordinaire, conservé fondu dans des jarres de terre et parfumé de thym, le *smen*. La clarification, qui rappelle celle du *gee* indien, évite le rancissement.

16

Assortiment de condiments et d'épices.

Fabricants de tamis dans le souk de Kairouan en Tunisie. Ces ustensiles servaient autrefois à filtrer les grains de semoule, des plus gros aux plus fins. Aujourd'hui encore, on utilise une semoule plus ou moins fine suivant les préparations.

Les musulmans, on le sait, ne boivent ni vins ni alcools. Mais, au cours du dernier siècle, les colons européens ont planté au Maghreb de vastes vignobles qui sont toujours d'une grande importance économique, d'autant qu'aujourd'hui on obtient des qualités surprenantes dans les rouges et les rosés des régions moyennement montagneuses, à bonne distance de la mer, zones délimitées

de qualités supérieures (VDQS). Ce sont donc des vins prédestinés à l'accompagnement du couscous, ne devant pas gâcher, celui qui ne pratique pas l'abstinence ne devant pas se priver du plaisir d'un fin repas.

De même, les variantes du couscous à la façon juive d'Afrique du Nord se prêtent idéalement à une dégustation d'honnêtes vins israéliens. Un peu par jeu, puisqu'Israël ne connaît pas culturellement le couscous. Il fut apporté là par des émigrants pieds-noirs.

La boisson classique demeure l'eau fraîche, qui permet d'éviter la somnolence, même quand le repas est copieux.

On peut aussi choisir des jus de fruits, de préférence d'oranges. Mais, puisqu'il faut tout dire, le Coca-Cola est en passe de devenir la boisson nationale ou plutôt… multinationale d'Afrique du Nord. Et les puristes d'affirmer avec indignation que l'on voit ces "gazouzes" passer de la table du café à celle du restaurant !

Pour ne pas trop boire, c'est-à-dire pour éviter d'être ballonné désagréablement à la fin du repas, mieux vaut ne pas abuser de la harissa.

Des néophytes s'imaginent sacrifier à la couleur locale en buvant du thé à la menthe avec le couscous. En vérité, il s'agit là d'une hérésie. Pas aussi grave qu'avec le Coca-Cola, puisqu'elle part d'un bon sentiment, mais enfin, il vaut mieux, si on apprécie cette boisson, la réserver pour l'issue du repas.

Oranges et citrons sont soigneusement rincés à l'eau fraîche.

17

La préparation du thé à la menthe requiert de belles feuilles odorantes à souhait et un savoir-faire adéquat.

L'offrande du thé est l'expression la plus raffinée de l'hospitalité arabe. On le présente à tout visiteur, sous la tente la plus primitive, dans le plus pitoyable gourbi des bidonvilles, comme dans les fabuleux palais aux dentelles de marbre et aux murs de mosaïques. Ce thé se déguste partout, assis en tailleur, par terre, sur un tapis ou sur des coussins, gravement, silencieusement. En communion. Un thé se sert brûlant. Sa température est directement proportionnelle à la chaleur dispensée par les rayons du soleil.

C'est encore la tradition qui veut que l'on avale, coup sur coup, trois verres de thé bouillant et très sucré après le repas. C'est, d'ailleurs, le seul moyen de digérer la fastueuse suite de mets dont se régalent les invités.

C'est toujours le chef de famille ou son fils aîné qui prépare le thé dans les réceptions traditionalistes. Jamais une femme ni un serviteur. Il arrive que l'on veuille honorer le principal invité en le priant de devenir l'officiant de la cérémonie.

N'en déplaise aux mânes de Jean Anouilh qui, dans sa pièce, *Le Jeune Homme et le lion*, montrait l'émir de Saragosse offrant à ses visiteurs du thé à la menthe, il s'en faudra encore de dix siècles pour que cette coutume s'installe ! En effet, la tradition du thé à la menthe n'a même pas cent cinquante ans ! Après la guerre de Crimée, en 1856, ne pouvant

Cérémonial du thé à la menthe : l'"officiant" utilisera les deux théières simultanément pour remplir les verres de liquide brûlant.

plus vendre le thé de Chine aux pays slaves, les Anglais entreprirent de le proposer aux Marocains de Tanger. Ceux-ci l'apprécièrent dans un savant mélange à l'ancestrale infusion de menthe, et la préparation fit alors le tour du monde arabe, tandis qu'un nouvel art du thé apparaissait, presque aussi ritualisé que le cérémonial japonais.

Dans la théière, en métal de préférence et quand on le peut en argent finement ciselé (ou en métal argenté), l'officiant dépose d'abord une forte pincée de thé vert de Chine qu'il rince rapidement à l'eau bouillante afin d'en ôter l'amertume. On ajoute une poignée de feuilles de menthe fraîche et un gros morceau de pain de sucre cassé au moyen d'un marteau de cuivre, au-dessus de la théière. On recouvre le tout d'eau bouillante, on enveloppe le récipient d'une serviette chaude ou d'une couverture… Après quelques minutes de recueillement et de sourires de connivence, l'officiant remue le mélange, goûte le thé – brûlant – dans un gobelet ou mieux un verre, dodeline de la tête, ajoute un ingrédient ou l'autre. Puis il sert chacun de ses invités ou commensaux, en versant le breuvage odorant de très haut, afin que résonne jusque dans les oreilles du Tout-Puissant le bruit cristallin du liquide parfumé tombant dans les verres. Véritable libation qui parfait la félicité des convives repus.

18

Le café maure se prépare dans de petits réci-pients adéquats, sortes de cafetières individuelles munies d'un long-manche appelées *sejwa*, que l'on trouve dans tous les bazars arabes en Europe. Pouvant se substituer au thé à la menthe, le café maure est l'autre complément indispensable d'un repas composé d'un couscous.

On dépose dans la *sejwa* du café moulu très fin et du sucre en poudre en quantité égale, de façon à remplir un tiers du récipient. On le remplit d'eau bouillante. On remue le mélange et on pose la *sejwa* sur le feu. Au bout d'un instant, lorsque le café écume et monte on la retire vivement, avant qu'elle ne déborde et on remue une fois de plus son contenu. Il est bon de procéder à la même opération une seconde fois. On verse alors tout le contenu de la *sejwa*, poudre et liqui-de, dans les tasses. Le café est prêt.

le café maure

Le profane s'étonne alors : il y a à boire et à manger dans ce café-là !... Eh bien non ! car voici le rituel à observer. La poudre ? On la laisse se déposer seulement quelques instants. Le liquide ? On ne le boit pas directement. On le hume… sans remuer la tasse : *Ietekief al qahwa*, dit-on alors. Ensuite, après de multiples aspirations du bout des lèvres, lorsqu'on arrive au marc qui s'est accumulé au fond de la tasse, on s'arrête… et un petit rot très discret montre qu'on est, à présent, au comble du bonheur ! Le café maure ainsi pré-paré par quantités égales de sucre et de poudre, est dit *quod-quod*, en quelque sorte "fifty-fifty". Si la proportion, pour gourmands, est de deux parties de sucre pour une de café, il s'agit alors de *qahwa halwa*. Si l'on préfère moins de sucre que de poudre, ou même pas de sucre du tout, le café, amer, s'appelle *qahwa morra*.

19

Le peintre Jacques-Émile Blanche a immortalisé la rencontre d'André Gide et de ses amis au café maure de l'Exposition universelle de Paris en 1900. Rouen, musée des Beaux-Arts.

Un cafetier maure d'Alger au XIXe siècle. Paris, biblio-thèque des Arts décoratifs.

au menu avant le couscous...

Le couscous est un plat très copieux qui constitue à lui seul un repas complet. Mais on peut, comme on le fait dans certains restaurants, proposer aux invités des hors-d'œuvre de bienvenue, à picorer en petite quantité, avec l'apéritif éventuel : olives macérées dans l'huile avec de fines tranches d'orange, petites salades de légumes cuits ou crus, de mollusques ou coquillages à la façon des kemia tunisiennes, ou tapas espagnoles dont les recettes sont un héritage de la longue occupation arabe.

Olives et citrons confits, qui donneront une saveur particulière à certaines préparations de tajines.

SALADE D'ORANGES DU MINISTRE

Cette entrée est la plus surprenante, la plus étonnante, la plus exquise, la plus rafraîchissante, la plus brûlante, la plus piquante, la plus suave… Un ministre d'État l'inventa et n'en fit pas un secret.

Temps
- préparation : 15 minutes
- cuisson : néant
- préparer 30 minutes avant le service et conserver au froid.

Pour 6 personnes
- 6 oranges maltaises (à peau fine)
- 36 olives vertes farcies à l'anchois
- 1/4 de cuillerée à café (ou plus !) de piment en poudre

Préparation
- Épluchez les oranges à vif. Coupez-les en tranches très fines. Mettez ces tranches dans un saladier avec les olives et le piment.
- Mélangez avec délicatesse, couvrez et portez au réfrigérateur jusqu'au moment de servir.

FÈVES AU CITRON
'l-fwila

Temps
- préparation : 20 minutes
- cuisson : 20 minutes
- servir bien froid.

Pour 4 personnes
- 1 kg de petites fèves fraîches à écosser
- 1 citron pressé
- 2 gousses d'ail dans leur peau
- 1/2 cuillerée à café de grains de cumin
- 1/2 cuillerée à café de sel
- 1 bonne pincée de poivre moulu
- une poignée de persil plat ou de coriandre hachée

Préparation
- Écossez les fèves et mettez-les dans une sauteuse avec tous les ingrédients, sauf le sel et le persil. Couvrez et laissez cuire à feu doux, sans eau, pendant 15 minutes. Écrasez les gousses d'ail et hachez le persil.
- Mélangez.
- Laissez refroidir avant de servir.

CHAKCHOUKA TUNISIENNE

Littéralement, pour les Tunisiens, le mot chak-chouka signifie mélange. En cuisine, il sert à désigner les mets à base de poivrons, d'oignons et de tomates, comme la rata-touille. Mais ici, il n'y a ni courgette ni aubergine.

Temps
- préparation : 15 minutes
- cuisson : 35 minutes
- préparer à l'avance pour servir très froid.

Pour 4 personnes
- 4 cuillerées à soupe d'huile d'olive
- 2 oignons moyens émincés
- 4 tomates pelées, épépinées et concassées
- 2 poivrons verts épépinés et coupés menus
- 1 piment entier
- 4 œufs
- sel et poivre moulu

Préparation et cuisson
- Faites revenir à l'huile les oignons émincés sans les dorer. Mouillez avec un demi-verre d'eau et ajoutez les tomates et les poivrons. Salez et poivrez. Laissez cuire à couvert, tout doux pendant 30 minutes, jusqu'à ce que le jus soit presque tari.
- Casser les œufs à la surface de la sauce. Couvrez aussitôt et éteignez 1 minute plus tard sans découvrir. Faites bien refroidir avant de servir.

Carvi (Carum carvi)
Karawiya ou *kerwiya* sont les graines d'une petite ombellifère dont le goût rappelle celui du fenouil. On l'utilise nature, en particulier dans les salades de légumes de la tradition juive, les légumes frits et les préparations d'abats ou de viande hachée.

POIVRONS À L'HUILE

Felfel bezit az-zitoun

Temps
- préparation : 15 minutes
- cuisson : 20 minutes
- préparer 2 ou 3 heures à l'avance. Ou, mieux, la veille.

Pour 4 personnes
- 1 kg de poivrons de toutes les couleurs
- 3 cuillerées à soupe d'huile d'olive
- le zeste d'un demi-citron haché
- 1/2 cuillerée à café de grains de fenouil ou de carvi
- 1 cuillerée à café de grains de coriandre pilés
- sel

Préparation et cuisson
- Mettez les poivrons sur une feuille d'aluminium, dans un four très chaud ou sur ou sous un gril. Retournez une fois pendant une cuisson de 20 minutes environ.
- Laissez refroidir. Ôtez la peau et les graines, soigneusement. Coupez la chair des poivrons en fines lamelles que vous mettez dans un plat avec l'huile, le zeste du citron et les épices. Couvrez et entreposez au froid, jusqu'au service. Vous pouvez agrémenter ces poivrons d'olives noires.

L'orange occupe une place de choix dans les préparations culinaires d'Afrique du Nord.

...et après le couscous ?

Comme dessert, non obligatoire, d'ailleurs, les fruits restent les mieux indiqués. Frais de saison ou secs, tels les dattes ou les figues... N'oublions pas les sorbets qui, comme on le croit souvent, ne sont pas une invention arabe mais turque. On peut, pour les grandes occasions, prévoir un assortiment de toutes ces gourmandises, ponctué d'assiettes de gâteaux et de beignets. Les pâtisseries traditionnelles, toujours très sucrées, riches en miel ou en amandes, s'achètent dans des magasins spécialisés, mais il existe une foule de recettes ménagères exquises, faciles à réaliser.

Marchand de dattes et de gâteaux, tel qu'il s'en trouve encore dans tous les souks du Maghreb.

GELÉE À LA MENTHE OU À LA ROSE

Ingrédients
- pommes
- sucre en poudre
- un bol de feuilles de menthe hachées ou 250 g de pétales de rose

Préparation et cuisson
- Coupez en quartiers des pommes lavées, sans les éplucher ni les épépiner. Mettez dans une marmite avec de l'eau pour que les fruits flottent aisément. Faites cuire à petit bouillon pendant 1 heure, d'abord à couvert pour lancer la cuisson.
- Égouttez dans une passoire pendant 2 heures pour récupérer le jus, sans trop presser les fruits afin que la gelée reste claire.
- Pesez le jus et ajoutez le même poids de sucre en poudre. Mélangez pendant quelques minutes dans une bassine à confiture. Remettez à cuire en comptant 1/2 heure environ par kilo de produit.
- 10 minutes avant la fin de la cuisson, ajoutez pour cette quantité un petit bol de feuilles de menthe fraîche hachées très finement. Mélangez bien. Laissez refroidir et infuser dans la bassine, et lorsqu'une pellicule se forme à la surface du jus, passez au travers d'un fin tamis avant de mettre en pots.
- La gelée à la rose s'obtient de la même façon, en ajoutant 250 g de pétales frais très parfumés pris, le matin, sur des roses fanées mais non flétries. On peut confectionner de même de la gelée à l'œillet.

Présentation du plat
- Servir ces gelées dans de petites coupelles avec de très petites cuillères. Le tout sera disposé sur un plateau empli d'eau glacée.

RAHAT-LOUKOUM

Temps
- trempage : 24 heures à l'avance
- clarification : 24 heures
- cuisson : 2 x 20 minutes
- refroidissement : 3 heures

Matériel
- un grand moule carré à très petit bord (comme un couvercle de boîte à biscuits) ou une plaque de marbre.

Ingrédients
- 500 g de gomme arabique (chez le pharmacien)
- 1 litre d'eau
- 500 g de sucre en poudre
- 3 cuillerées à soupe d'eau de roses ou de fleurs d'oranger ou 100 g de pistaches émondées hachées très fin ou 2 cuillerées à soupe de zeste de citron haché très fin
- 250 g de sucre glace
- 1 cuillerée à soupe d'huile de goût neutre

Préparation
- Faites tremper la gomme dans l'eau pendant 24 heures.
- Cuisez au bain-marie la gomme et ce qui reste d'eau non absorbée, en remuant à la spatule de bois. Écumez au fur et à mesure.
- Passez dans un tamis fin et laissez reposer pendant encore 24 heures.
- Le lendemain, ajoutez le parfum. Mélangez et remettez au bain-marie pour une dernière cuisson pendant laquelle vous ne cessez de tourner à la spatule de bois (jamais de cuillère en métal !).
- Huilez le moule ou le marbre. Versez la pâte par couches et laissez bien refroidir.
- Coupez des petits cubes réguliers que vous roulez dans le sucre glace.
- Conservez dans une boîte fermée.

OREILLES DE CADI

Ces beignets très populaires se cuisent par trois ou quatre à la fois. Il vaut mieux se faire assister car leur dorage est très rapide.

Temps
- préparation : 30 minutes
- cuisson : 2 minutes
- servir froid

Matériel
- une ou plusieurs fourchettes à long manche

Pour 6 personnes
- 3 œufs
- 300 g de farine
- une bassinée d'huile de friture
- 250 g de miel liquide
- 1 cuillerée à soupe d'eau de fleurs d'oranger

Préparation
- Battez les œufs entiers dans une terrine en y incorporant la farine. Pétrissez et laissez reposer une dizaine de minutes.
- Étalez la pâte en une fine abaisse sur une planche farinée et découpez des bandes aussi longues que possible, d'une largeur de trois doigts.
- Faites chauffer l'huile de friture, sans l'amener à ébullition.
- Par ailleurs, faites également chauffer le miel et l'eau de fleurs d'oranger dans une casserole assez large. En vous servant des fourchettes, enroulez les bandes sur elles-mêmes. Pincez-les du bout des doigts pour qu'elles ne se défassent pas trop à la cuisson, et toujours à l'aide des fourchettes, plongez-les dans l'huile, pendant 2 minutes. Retirez les beignets de la friture et déposez-les sur du papier absorbant pour les égoutter rapidement, puis trempez-les aussitôt dans le miel chaud, pendant quelques secondes. Reposez-les au fur et à mesure dans un plat.
- Laissez bien refroidir avant de servir.

La préparation des pâtisseries relève le plus souvent de traditions familiales et artisanales.

Récolte du blé dur au Maroc ; le grain moulu servira à la fabrication de la semoule de couscous.

il était
une fois le
couscous

La semoule, des origines à l'Empire romain

On commença à cultiver des céréales il y a 10 000 ans, autour du village de Jéricho en Transjordanie : deux ancêtres du blé, l'engrain et l'amidonnier, et aussi l'orge à deux rangs de grains, mutations d'espèces spontanées que l'on ramassait sur les collines depuis des millénaires. Le petit millet dont on a des traces sauvages dès 6 000 avant notre ère en Mauritanie, ou le gros mil, en Éthiopie, furent cultivés en Afrique et au Proche-Orient à partir de 3 000 sur les terres pauvres, tandis que, dès 4 000, les Égyptiens,

puis les Babyloniens moissonnaient l'amidonnier dans les plaines fertiles. Petit à petit, l'amidonnier, rustique mais peu productif et mal panifiable, s'est vu remplacé par les véritables froments ou blés tendres. Cette nouvelle forme, apparue en Anatolie, se montrait moins rustique mais d'un meilleur rendement, résultat d'un croisement – spontané ou sélectionné ? – entre des variétés améliorées d'amidonnier et d'engrain. Mais il fallut attendre encore quelque deux mille ans pour que les Gréco-Romains ne le substituent définitivement à l'amidonnier. On obtint ainsi un très bon pain, d'autant que l'invention gauloise de la levure de bière lui donna une exquise légèreté.

Les boulangers marocains enfournent leur pains plusieurs fois par jour. Pour le plus grand plaisir du consommateur.

L'Afrique du Nord, berceau du couscous

Dès le début de notre ère, l'Égypte, le Proche-Orient, la Sicile et l'Afrique du Nord étaient devenus autant de greniers particuliers de l'Empire romain. Effectivement, dans la Péninsule, les propriétaires terriens n'avaient plus guère la vocation céréalière, de faible bénéfice eu égard à l'importante main-d'œuvre requise pour les moissons. La seule solution économique était l'importation – les travailleurs des terres colonisées étant toujours moins payés que ceux de la métropole, aujourd'hui comme hier. Les grandes familles romaines possédaient d'immenses domaines outre-mer, en Afrique du Nord notamment, où de nombreux indigènes berbères étaient disponibles. Ces propriétés prospérèrent jusqu'au Ve siècle de notre ère.

Puis l'anarchie et le chaos inhérent au déclin de l'Empire eurent raison de ces exploitations, plus encore que les invasions vandales et arabes. Les Vandales avaient occupé l'Afrique du Nord entre 428 et 477. A l'issue de la bataille de Decimum, près de Carthage, le général byzantin Bélisaire les expulsa du Maghreb... et de l'histoire. L'Afrique du Nord, surtout la Tunisie, ne retrouvera une vocation céréalière qu'à partir du XXe siècle, offrant à la France, mais aussi à l'Italie, un blé dur d'une excellente qualité, s'accommodant parfaitement de la sécheresse du sol.

26

Marchandes de couscous. Dans certaines villes du Maroc, le couscous est encore vendu en vrac dans la rue.

Du grain à la semoule

Depuis des temps immémoriaux, le blé dur constitue la base de l'alimentation des populations locales du pourtour sud-méditerranéen. Semé dès l'automne pour germer sous la pluie, il est, pour cette raison, appelé "blé d'hiver". Il contient un taux plus élevé de protéines que le blé tendre ou froment.

Peu riche en amidon, contrairement au froment, il n'est pas destiné à la panification mais à la fabrication entre autres des pâtes alimentaires. Écrasé, il devient

semoule – *similia* pour les Latins qui choisirent un mot d'origine sanscrite (c'est la "fleur de farine" dans la Bible) ou *smilla* en arabe – ; après cuisson à la vapeur il est aujourd'hui connu sous le nom de couscous.

On désigne encore sous le terme de semoule les granulés de blé, d'orge, de mil, de riz ou de maïs provenant du concassage ou de la mouture la plus grossière récupérée dans les tamis après les criblages successifs.

Si leurs maîtres romains utilisaient déjà un moulin à pierre tournante (actionné par un cheval ou des esclaves hommes ou femmes) pour moudre la farine, les indigènes berbères d'Afrique du Nord pratiquaient le concassage des grains à la petite pierre ronde sur une auge ou une surface dure, selon une technique pratiquée encore par de nombreux peuples. En Afrique noire, et parfois en Asie, les ménagères préfèrent le grand mortier profond dans lequel on pile le grain avec un lourd bâton. Le blé dur, comme le sorgho, le mil ou le maïs, se prête particulièrement bien à ce concassage produisant des particules bien régulières et de plus en plus fines.

À présent, les Maghrébins achètent leur semoule toute préparée, et même précuite, ce qui semble une hérésie aux yeux des traditionalistes.

Du cru au cuit

Avant que l'on ne connaisse les ustensiles de cuisson, le grain était torréfié sur des pierres plates brûlantes : la balle indigeste, ainsi calcinée, disparaissait. On le mangeait, soit mâché tel quel, soit humecté ou écrasé dans de l'eau, sous forme de bouillies plus ou moins épaisses. Ce *pulmentum* donnera naissance, des siècles plus tard, à la polenta à base de semoule de maïs. Cuit, il était préparé en crêpes galettes grillées sur une pierre ardente ou dans des braises.

Lorsqu'au VIIe siècle, les conquérants arabes islamisèrent le Maghreb, ils adoptèrent la semoule populaire ou *semid*, ignorée du Proche-Orient. Ils mirent au point le *keskes* ou "couscous" (de l'arabe *koskossou*, poudre), sorte de pot-au-feu servi avec la semoule. Le terme de couscous, par glissement de sens, désigna aussi la semoule dont on ne peut toujours pas préciser

Kabyle cuisant le couscous sur charbon de bois. Gravure, milieu du XIXe siècle. Paris, bibliothèque des Arts décoratifs

le mode de cuisson à l'origine. Le couscous était né.

La population d'Afrique du Nord est passée très tardivement à la cuisson à la vapeur, spécifique à cette région, et qui demande un second récipient posé sur celui dans lequel cuit le bouillon. À l'origine un panier de vannerie – l'alfa, très commun en Afrique du Nord – ou une passoire de terre cuite perforée remplissait cette fonction. Aujourd'hui, la grande marmite aux flancs rebondis et son inséparable passoire sont répandues partout dans les pays du Maghreb et ailleurs.

Carte de l'Europe
et de l'Afrique par
Antonio Varese
(1733-1786).
Caprarola, Palazzo
Farnese

La diffusion du couscous

La préparation du couscous se répandit dans toute la moitié nord de l'Afrique avec l'islamisation. Cependant, à mesure que l'on descend vers l'équateur, la culture du blé, fût-il dur, n'est plus guère possible. Il existe en Afrique une autre céréale dure, présente depuis des millénaires : le millet ou mil. Les populations noires le consommaient – le consomment toujours – sous forme de semoule obtenue en pilant le grain dans de hauts mortiers familiaux. Elles l'apprécient, d'ailleurs davantage que le produit du blé pour sa saveur particulière, et il n'est point besoin de l'importer à grands frais.

Par ailleurs, les nomades touareg, lors de leur marché au Mali ou au Niger, s'approvisionnent traditionnellement en couscous de mil. C'est aussi le couscous du Tchad et du Burkina-Faso.

Au Proche-Orient (Liban, Syrie, Yémen), on utilise le *pourgouri* ou boulgour comme couscous, cuit à la vapeur, en pilaf comme le riz ou macéré cru en salade (le fameux tabbouleh). Il s'agit de grains de blé dur éclatés par humidification, émondés par frottement, puis remis à sécher avant d'être grillés et grossiè-

rement pilés en semoule, technique ingénieuse qui remonte à l'aube des temps.

Le *frik* des Algériens est un boulgour de blé vert. Au nord du Sahara, sur les hauts plateaux algériens, pousse l'orge, de toute éternité. Ce grain rustique concassé, ou *mermez*, donne un couscous montagnard, très savoureux. Les Tunisiens le préparent avec de l'orge récolté encore vert, assez semblable au boulgour ou au frik, c'est le "couscous des moissons" ou *melthout*, que les Algériens appellent *kesksouchir*. Enfin, chez les Bamiléké du sud du Cameroun, où le maïs prospère depuis trois ou quatre siècles, on le pile pour obtenir un couscous qui n'est, en vérité, qu'une polenta cuite dans un bouillon de viandes et de légumes.

Femmes maliennes pilant la semoule dans de grands mortiers : le millet, la céréale locale, donne une semoule au goût plus prononcé.

29

COUSCOUS DE PIGEONNEAUX AUX AMANDES

Kedra

Préparation et cuisson

• Faites fondre le beurre au thym à l'avance.

• Mettez dans la marmite l'huile, le beurre, le safran et le poivre additionnés de deux verres d'eau froide. Ajoutez le tiers des oignons. Fouettez le tout. Mettez-y les moitiés de pigeons, remuez et portez au feu. Laissez bouillir pendant 2 minutes. Ajoutez les amandes, les persils et deux litres d'eau très chaude.

• Procédez ensuite suivant la recette type, pour une cuisson de 45 minutes, mais ajoutez le restant d'oignons en deux fois, la première au bout de 15 minutes, la seconde au bout de 30 minutes.

• Quand la viande aura été portée au feu, versez la semoule dans le grand plat. Enduisez vos mains d'huile d'arachide, et travaillez cette semoule en la faisant rouler sous les paumes et entre les doigts, de façon qu'elle soit uniformément imprégnée d'huile.

• Mouillez-la ensuite d'un demi-litre d'eau fraîche, non salée. Roulez toujours les grains en les séparant bien, puis soulevez-les à la fourchette ou avec le fouet pour les aérer et rendre la masse légère. Tout au long de la préparation, il est essentiel que les grains de semoule, gonflant uniformément, se détachent bien les uns des autres sans former de grumeaux. Dans le cas contraire, il faut les piquer à la fourchette pour les désagréger. Laissez reposer pendant 15 minutes.

• Répétez cette opération encore une fois et, après le second repos, mettez la semoule dans la passoire.

Posez la passoire sur la marmite et faites cuire la semoule à la vapeur du bouillon, sans couvrir, jusqu'à ce que celle-ci passe au travers. Colmatez alors l'interstice entre la marmite et la passoire à l'aide d'un tissu. Il faut compter 10 à 15 minutes.

• Étalez la semoule dans le plat, et laissez refroidir. Aspergez alors d'un tiers de litre d'eau salée tiède et travaillez encore les grains au fouet en les séparant.

• Remettez la semoule dans la passoire, sans tasser, et laissez encore cuire à la vapeur du bouillon pendant une dizaine de minutes.

• Éteignez le feu.

• Le couscous de pigeonneaux ne comporte pas la garniture d'oignons confits supplémentaire.

Présentation du plat

• Dressez la semoule sur le grand plat creux. Versez dessus le bouillon et disposez les pigeonneaux.

Temps
• préparation : 40 minutes • cuisson simultanée : 1 heure 30

Matériel
POUR LA CUISSON • une couscoussière complète (marmite et passoire)
• une bassine • un très grand plat peu profond • un fouet araignée
POUR LE SERVICE • un grand plat creux

Pour 6 personnes
POUR LE BOUILLON • 6 pigeonneaux coupés en deux dans le sens de la longueur • 1 cuillerée à soupe de beurre • 1 cuillerée à soupe d'huile d'arachide • 1/2 cuillerée à café de safran en pistil • 1/2 cuillerée à café de poivre moulu • 1/2 cuillerée à café de sel • 300 g d'amandes émondées • 1 kg d'oignons émincés • 1 branche de persil plat • 1 branche de coriandre verte ou 1/2 cuillerée à café de coriandre en grains écrasés
POUR LA SEMOULE • 1 kg de semoule moyenne • 1 cuillerée à soupe d'huile d'arachide • 125 g de beurre • 1 branche de thym

COUSCOUS DE RACHEL

selon la tradition juive de Marrakech

Préparation et cuisson

• Mettez la semoule dans la bassine. Couvrez-la avec de l'eau froide et laissez en attente.

• Pendant ce temps, épluchez les légumes et morcelez-les. Pour les courgettes, n'ôtez que des langues de peau. Ôtez bien toutes les graines et les fibres du potiron, mais laissez l'écorce.

• Revenez à la semoule : mélangez-la bien à la main, puis jetez l'eau. Rincez à l'eau courante. Exprimez l'eau et laissez de côté.

• Mettez dans l'autocuiseur la viande non coupée, l'os, les carottes, les navets, les raisins empaquetés et la moitié du curcuma avec environ deux litres d'eau froide. Fermez et comptez 30 minutes à partir de la rotation du sifflet.

• Pendant ce temps, mettez les courgettes et le potiron, avec du sel et le restant de curcuma dans la marmite de la couscoussière remplie au tiers d'eau bouillante et remettez-la sur le feu.

• Dès la reprise de l'ébullition, posez le tamis dans lequel vous verserez la moitié de la semoule, sans tasser.

• Au bout de 15 minutes d'ébullition, versez cette semoule dans un grand plat. Arrosez d'un demi-verre d'huile et d'un demi-verre d'eau salée et ajoutez le safran. Remuez à l'aide du fouet

Temps

• préparation : 1 heure • cuisson : 1 heure

Pour 6 à 8 personnes

POUR LE BOUILLON • 1 kg de viande de bœuf choisie dans le jarret, le gîte ou le paleron, avec un morceau d'os à moelle • 500 g de carottes • 500 g de navets • 500 g d'oignons • 500 g de potiron • 500 g de courgettes • 400 g de pois chiches précuits ou de conserve égouttés • 250 g de raisins secs enveloppés dans de l'aluminium • 2 x 1/2 verre d'huile de tournesol ou d'arachide • 2 x 1/2 cuillerée à café de poudre de curcuma • 2 x 1 bonne pincée de safran en pistils • 1/2 cuillerée de poivre moulu

POUR LA SEMOULE • 1 kg de semoule moyenne

POUR LA SAUCE • 2 cuillerées à soupe d'huile de tournesol ou d'arachide • 500 g de tomates très mûres, pelées, égrenées et hachées • 1 gros poivron vert, épépiné et haché • 2 grosses gousses d'ail égermées et hachées ou pressées • 2 x 1/2 cuillerée à café de sel • 1 pincée de poudre de piment

et couvrez pendant que vous mettez à cuire le restant des grains de la même façon, après avoir récupéré avec l'écumoire les courgettes et le potiron.

• Après 15 minutes, videz la seconde partie de la semoule sur la première. Arrosez d'eau, d'huile et de safran. Mélangez au fouet pour bien décoller les grains, et effritez les grumeaux éventuels.

• Faites repartir l'ébullition de la marmite sur laquelle vous placez le tamis avec la totalité de la semoule et laissez cuire encore 15 minutes à partir du moment où la vapeur s'échappe des grains.

• Pendant ce temps, sortez la viande et ses légumes de l'autocuiseur et mettez-les dans un plat à four avec les courgettes, le potiron, les pois chiches et les raisins secs. Arrosez de bouillon et d'huile et faites légèrement dorer à four chaud.

• Réchauffez les deux bouillons.

• Pour la sauce, chauffez l'huile dans un poêlon pour y faire revenir tous les éléments nécessaires. Laissez mijoter 20 minutes environ.

Présentation du plat

• Coupez la viande en morceaux et disposez-les au centre d'un grand plat de service creux. Garnissez avec les légumes. Arrosez de bouillon. Mettez la semoule dans un autre plat chaud. Parsemez de raisins secs. Servez la sauce à part.

COUSCOUS DE POULET AUX PETITS NAVETS

Keskou bedjedj

Les couscous de fête algériens, nombreux et variés, sont toujours composés de pois chiches et de légumes de saison (courgettes, pommes de terre, fenouil bulbe, aubergines, cardes ou artichauts, petits pois, etc.) dont l'abondance compense souvent l'absence de viande.

Dans le couscous d'hiver, le grain est cuit comme des vermicelles dans un bouillon de pommes de terre et de navets. La viande est parfois remplacée par de la graisse de mouton séchée à l'air. Le couscous de printemps est cuit avec de la lavande sauvage, qui colore le grain en brun et lui donne un goût amer. Il est considéré comme prophylactique et fortifiant.

Pendant le mois de Ramadan, le couscous prend le nom de mestouf. Il est servi pour le repas qui précède la journée de jeûne, à l'aube. Garni de petits pois et de fèves fraîches, il se consomme avec des poignées de raisins secs et se laisse accompagner de lait fermenté.

Préparation et cuisson

• Épluchez les navets et coupez-les en deux dans le sens de la longueur. Réservez.

• Étalez la plus grosse semoule dans un large plat. Aspergez-la d'un verre d'eau salée froide en roulant les grains sous la main pour bien les mélanger. Ajoutez, petit à petit, de la même manière mais alternativement la semoule fine et de l'eau (cinq verres pour que tout soit largement et uniformément humecté). À la pointe d'une fourchette, cassez les grumeaux et répartissez leur masse. Laissez en attente.

• Procédez aussitôt à la préparation du poulet : faites chauffer la matière grasse choisie dans la marmite, pour y mettre à revenir les morceaux de poulet avec l'oignon haché, la cannelle, le sel et le poivre. Ajoutez deux litres d'eau froide et lancez l'ébullition avant d'y mettre les pois chiches. Laissez cuire pendant 45 minutes. Ajoutez les navets à mi-cuisson.

• Dès ébullition, posez le tamis sur la marmite et remplissez-le de semoule, sans tasser. Comptez 15 minutes à partir du moment où la vapeur traverse la semoule, puis videz le contenu de la passoire dans le grand plat. Aérez les grains au fouet à main ou à la pointe de la fourchette et aspergez du contenu d'un verre d'eau froide. Mélangez et roulez encore les grains, puis remettez-la dans la passoire et celle-ci sur la marmite, pour une seconde cuisson. Comptez encore 15 minutes à partir du moment où la vapeur apparaît au-dessus de la semoule.

Présentation du plat

• Versez le couscous dans le plat de service que vous aurez fait chauffer au préalable. Éparpillez bien les grains et, au besoin, piquetez les grumeaux subsistants. Ajoutez le beurre, mélangez et roulez à la main, très rapidement. Versez le poulet et les légumes dans un autre plat bien chaud. Portez à table avec la sauce délayée dans un peu de bouillon.

Temps
• préparation : 1 heure • cuisson : 1 heure

Pour 6 personnes
POUR LE BOUILLON • 1 poulet coupé en 6 morceaux • 250 g de pois chiches ayant trempé depuis la veille • 500 g de petits navets primeurs
• 1 gros oignon haché • 1/2 cuillerée à café de poudre de cannelle
• 3 cuillerées à soupe de beurre ou d'huile d'arachide
POUR LA SEMOULE • 500 g de grosse semoule • 500 g de fine semoule
• 1 cuillerée à café de sel • 100 g de beurre frais ou fondu *(smen)*
POUR LA SAUCE (FACULTATIF) • harissa préparée ou en poudre

COUSCOUS KABYLE

Keskou al-qbayle

Cette préparation du couscous est la plus répandue et la plus connue. On la sert dans tous les petits restaurants pour travailleurs émigrés que l'on trouve dans les quartiers populaires en Europe. La spécificité de ce plat, fort copieux, tient à l'usage de la tomate et des topinambours (ou des pommes de terre). Aussi, peut-on dater cette variante de la recette traditionnelle de l'époque où la culture de la tomate s'est implantée au Maghreb, c'est-à-dire il y a une centaine d'années seulement. Dans cette recette, il est indispensable d'utiliser le ras al-hanout, mélange particulier d'épices, assez proche du cari.

Préparation et cuisson

• Vous préparez la semoule exactement de la même façon que précédemment.

• Mettez l'huile à chauffer dans la marmite de la couscoussière et faites revenir la viande avec un des oignons. Ajoutez les tomates, le poivre, le paprika, la cannelle et le sel. Remuez, baissez un peu le feu et ajoutez deux litres et demi d'eau chaude.

• Au premier bouillon, ajoutez les pois chiches (s'ils sont crus), et placez le tamis de la couscoussière pour faire cuire la semoule à la vapeur.

• Après 20 minutes de cuisson, ajoutez les légumes épluchés et éventuellement coupés en quartiers, ainsi que le piment.

• Vous aurez haché très finement l'oignon restant pour le mettre dans un petit mortier ou un bol solide. Vous l'y pilerez avec les épices *ras al-hanout*. Le jus ainsi extrait sera réservé.

• Mettez la pâte obtenue dans la marmite (en même temps que les pois chiches s'ils sont en conserve).

• À la première cuisson de la semoule, après qu'elle aura été versée dans le plat pour s'aérer, arrosez-la avec le jus des oignons et des épices et deux verres à moutarde d'eau fraîche salée. Mélangez et battez la semoule pour disperser les grumeaux. Remettez la semoule à la vapeur pour 15 minutes encore.

Présentation du plat

• Versez alors la semoule dans le plat de service chaud. Liez avec le beurre et arrosez de deux louches de bouillon en séparant bien les grains au fouet à main, ou à la fourchette. Disposez la viande et les légumes sur la semoule. Aspergez de quelques cuillerées de bouillon et conservez le restant de celui-ci à part dans une saucière, dans laquelle on se servira à volonté.

Temps
• préparation : 1 heure 30 environ • cuisson : 1 heure 30 environ

Pour 6 personnes
POUR LE BOUILLON • 1kg de morceaux de collier et de haut de côtes d'agneau ou mouton (ou un gros poulet coupé en 6 portions) • 250 g de pois chiches trempés la veille ou en conserve • 2 oignons coupés en 8 morceaux • 3 ou 4 tomates fraîches mûres, ou en conserve, égouttées • 6 topinambours ou 6 petites pommes de terre • 6 petits navets • 6 petites carottes • 6 petites courgettes • 200 g de potiron • 3 cuillerées à soupe d'huile d'arachide ou de tournesol • 1/2 cuillerée à soupe de paprika fort • 1/2 cuillerée à café de poivre moulu • 1/2 cuillerée à café de poudre de cannelle • 1/2 cuillerée à café de *ras al-hanout* • sel • 1 petit piment **POUR LA SEMOULE** • 500 g de semoule grosse • 500 g de semoule fine • 100 g de beurre

COUSCOUS DE PRINTEMPS

Ce couscous aux senteurs délicates est surtout à l'honneur dans la partie orientale de l'Algérie, le Constantinois. Sa sauce ragoût, appelée marga, *a la particularité d'utiliser avec prodigalité les légumes frais de printemps.*

Dans ce couscous, la préparation de la semoule diffère quelque peu de la manière habituelle de procéder. L'on pourra choisir celle qui paraîtra la plus savoureuse, lorsqu'on aura fait l'expérience de toutes les méthodes.

Préparation et cuisson

• Versez l'huile dans la marmite de la couscoussière pour y faire revenir la viande avec les oignons émincés. Lorsqu'ils sont bien dorés, couvrez d'un litre d'eau bouillante salée.

• Dès la reprise de l'ébullition, ajoutez les légumes et les aromates. (Les légumes précuits, chou, cardon et pois chiches, seront déposés en fin de cuisson, quelques minutes avant de couper la souce de chaleur).

• Passez la moitié de la semoule à l'eau courante froide, dans une passoire. Égouttez sans presser et versez dans un grand plat. Recouvrez de l'autre moitié de la semoule restée sèche et commencez le roulage en mélangeant les deux produits. Puis procédez comme indiqué précédemment pour la préparation et la cuisson au-dessus de la *marga*.

Temps

• préparation : 45 minutes • cuisson simultanée : 1 heure 30

Pour 6 personnes

POUR LE BOUILLON • 1 épaule d'agneau coupée en morceaux

• 2 cuillerées à soupe d'huile d'olive • 2 ou 3 oignons émincés et 18 petits oignons nouveaux • 2 côtes de céleri morcelées

• 250 g de haricots verts • 2 poireaux tronçonnés • 2 à 4 carottes coupées dans le sens de la longueur • 2 à 4 navets coupés dans le sens de la longueur • 1 petit chou vert coupé en quartier et blanchi

• 3 ou 4 côtes de cardon morcelées et blanchies et/ou tous les autres légumes de votre choix… • 3 gousses d'ail • 250 g de pois chiches précuits • 1 petit bouquet de persil vert • 1 petit bouquet de coriandre

• 1/2 cuillerée de paprika • 1/2 cuillerée à café de cumin

• sel et poivre moulu

POUR LA SEMOULE • 750 g de semoule moyenne

• 100 g de beurre frais ou fondu, salé

Présentation du plat

• Renversez la semoule cuite dans le plat de service chaud. Arrosez plus ou moins largement de bouillon selon les goûts.

• Parsemez de beurre frais ou fondu. Mélangez délicatement. Servez la viande et les légumes dans leur bouillon à part.

• On peut, bien entendu, présenter à part pour ceux qui le désirent, du bouillon relevé de harissa.

CUMIN (Curcuminum cyminum)

Kamoun ou *kemmoun,* ces semences d'une petite ombellifère connue depuis des millénaires, font partie des "quatre graines chaudes" de la pharmacopée arabe (carvi, coriandre, cumin, fenouil). Pour son goût à la fois amer et anisé, on l'utilise beaucoup, de préférence pulvérisé dans les salades, les légumes frais ou secs, les ragoûts, les merguez, la viande et le poisson rôtis ou grillés.

COUSCOUS À LA PANSE FARCIE

Keskou bel osbane tam bel-bekbouka

Ce couscous est préparé selon la tradition de Constantine, à la fois juive et musulmane. Tous les tripiers, ou à la rigueur les commerçants juifs ou arabes, procurent sur commande les fressures d'agneau, plus fines que celles de mouton. La panse farcie du hachis des abats s'appelle osbane. Ce mets de fête, délicieux et très célèbre dans les deux communautés, rappelle les "pieds et paquets" marseillais. On peut ajouter au bouillon les légumes habituels du couscous : carottes, navets, courgettes, potiron, topinambours .. bien que cela ne fasse pas partie de la recette traditionnelle.

Préparation et cuisson

• D'abord, préparez la semoule comme précédemment.

• Pendant qu'elle gonfle, procédez à la réalisation des osbane. Coupez la panse en six morceaux rectangulaires, égaux autant que possible (10 x 20 cm). Hachez finement au couteau tout le restant de la fressure. Mettez ce hachis dans une terrine avec un oignon, le persil et la coriandre hachés, les épices, le sel et les pois chiches.

• Mélangez et divisez en six portions. À l'aide de l'aiguille et du fil, fermez sur trois côtés par un surfilage chaque rectangle de panse, pour former autant de petits sacs que vous farcirez, sans bourrer (cela gonfle à la cuisson). Fermez ensuite les ouvertures.

• Mettez le mélange de beurre et d'huile à chauffer dans la marmite de la couscoussière avec les autres oignons hachés, la tomate égrenée, égouttée et hachée, les épices et du sel. Faites revenir en remuant à la cuillère de bois puis ajoutez les osbane que vous retournez au bout de quelques minutes. Attendez encore autant, puis verser deux litres d'eau bouillante. Ajoutez les pois chiches.

• Posez le tamis rempli de semoule. Faites cuire de quart d'heure en quart d'heure, selon la méthode classique, pour 45 minutes ou 1 heure environ.

Présentation du plat

• Versez la semoule dans un plat de service chauffé au préalable. Posez dessus les osbane, les pois chiches et éventuellement les légumes. Arrosez d'une partie du bouillon dont vous présenterez le reste dans une saucière.

Temps
• préparation : 1 heure 30 *(osbane)* /1 heure (couscous)
• cuisson simultanée : 1 heure 30

Matériel
• ciseaux de cuisine • une grosse aiguille et du fil de cuisine

Pour 6 personnes
POUR LES OSBANE • 1 fressure complète d'agneau avec tripes, poumons, foie et panse (estomac), bien lavée • 150 g de pois chiches cuits ou en conserve • 1 bel oignon • 1 bouquet de persil plat • 1 bouquet de coriandre verte • 1 cuillerée à café de paprika • 1/2 cuillerée à café de poivre moulu • 1 cuillerée à soupe de cumin (kemmoun)
POUR LE BOUILLON • 2 beaux oignons émincés • 1 grosse tomate mûre ou 150 g de tomates en conserve • 3 cuillerées à soupe d'huile d'arachide ou de tournesol • 1 cuillerée à soupe de beurre • 1/2 cuillerée à café de poivre moulu • 1/2 cuillerée à café de paprika • une pointe de harissa (facultatif) • sel • encore 150 g de pois chiches
POUR LA SEMOULE • 750 g de semoule moyenne • 100 g de beurre

COUSCOUS DU VENDREDI SOIR

Mahames

Comportant davantage d'ingrédients que le couscous marocain, le couscous tunisien est plus riche et convient aux grandes réunions. Il en existe autant que de budgets divers, de familles, de régions… Aux viandes classiques, au lapin, au gibier à plume (souvent chassé au faucon), au pigeon, au hérisson, à l'andouillette et au poisson… La semoule peut être de blé dur, fourni par les terres noires du nord de Tabarka à Téboura, mais aussi de blé vert (non mûr) ou d'orge à la frontière algérienne, dans le nord.

Le plat, très copieux, est destiné aux familles nombreuses. On peut, naturellement, diviser les proportions ou supprimer certains éléments. La tradition juive de Tunis ajoute au couscous traditionnel, pour les plus riches, une boule de farce que l'on appelle kouclas.

Préparation et cuisson

• Préparez la semoule comme pour le couscous de Rachel (page 32) sans les épices.
• Mettez tous les ingrédients dans la marmite de la couscoussière avec deux litres d'eau. Lancez la cuisson à feu vif.
• Mélangez tous les éléments du *kouclas* pour en faire une boule que vous enfermez, sans trop la serrer, dans un linge bien noué ou ficelé. Vous la mettrez dans la marmite, dès l'ébullition.
• Placez sur la marmite le tamis rempli de la moitié de la semoule pour préparer et cuire celle-ci selon la méthode du couscous de Rachel.

Présentation du plat

• Servez le couscous dans un grand plat chaud, entouré des légumes et de la viande, et largement arrosé de bouillon. Le *kouclas*, coupé en tranches, se présente à part ainsi qu'une saucière de bouillon pimenté.

Des merguez dans le couscous ?

Les recettes authentiques ignorent les fameux merguez, saucisses de mouton, même si ils peuvent être excellentes par ailleurs. Il s'agit d'une innovation de certains restaurateurs à la recherche d'effets folkloriques. Dommage que cette hérésie devienne, trop souvent, force de loi ! Les couscous d'Afrique du Nord ne comportent qu'une seule sorte de viande — ou de poisson —, différente pour chaque manière. Les cartes des restaurants proposant sous l'étiquette d'un "couscous royal" ou "impérial", un mélange de volaille et saucisses, à des prix dispendieux, permettent de vendre de l'ostentation pour de la gastronomie.

Temps

• préparation : 40 minutes • cuisson : 1 heure 30

Pour 10 personnes

POUR LE BOUILLON • 1,5 kg de poitrine de bœuf coupé en 10 portions et/ou une poule coupée en morceaux • 1,5 kg d'un assortiment de légumes épluchés et coupés de façon à obtenir autant de parts que de convives : carottes, navets, tomates fermes, fonds d'artichauts, courgettes, poivrons… • 150 g de fèves fraîches épluchées • 150 g de pois chiches trempés depuis la veille • 200 g de côtes de cardon • 2 gros oignons coupés en quartiers • sel et poivre moulu • 1 cuillerée à café de safran en pistils • 1/2 cuillerée de cumin • 5 ou 6 clous de girofle

POUR LE *KOUCLAS* • 400 g de bœuf haché • 3 œufs battus en omelette • 100 g de chapelure • 1 poignée de persil plat haché • 1 poignée de coriandre hachée • 100 g d'oignons hachés • sel et poivre • 1 carré de gaze de coton (35x35)

POUR LA SEMOULE • 500 g de semoule fine • 500 g de semoule grosse • 100 g de beurre fondu

POUR LA SAUCE • harissa ou piment de Cayenne

COUSCOUS DE POISSON À LA JUIVE

Il est somme toute naturel que la Tunisie , possédant près de 1 300 kilomètres de côte ait élu un couscous à base de poisson comme fleuron de sa gastronomie. Bien que classique dans sa préparation, la recette du couscous de poisson à la juive, remplace le bœuf ou l'agneau traditionnels par du poisson. La base en est le couscous du vendredi soir qui prend tout son goût des têtes de merlans qu'on ajoute au bouillon en même temps que les légumes, après avoir pris soin de les envelopper dans une gaze, de façon à les récupérer avant le service. On apprêtera le reste des poissons (un pour deux convives) en croquettes.

Préparation et cuisson

• Dès que les légumes sont mis à cuire, préparez la marinade. Ecrasez une gousse d'ail dans une cuillerée à café d'huile et autant de jus de citron par tranche de poisson. Ajoutez une pincée de sel et une petite pointe de couteau de pâte de piment. Tartinez le poisson de cette mixture et laissez mariner entre deux assiettes jusqu'au moment de la cuisson.

• Plongez le poisson dans le bouillon lorsque les légumes sont pratiquement cuits, car le poisson nécessite à peine un quart d'heure de cuisson. Le bouillon, particulièrement relevé, demande notamment une bonne dose de safran et de cumin ou du fenouil.

• Cuisez la semoule au-dessus du bouillon.

Ingrédients
POUR LE BOUILLON • une grosse tranche de gros poisson blanc par personne • tous les légumes et les épices du couscous du vendredi soir
POUR LA SEMOULE • 500 g de semoule fine • 500 g de semoule grosse • 100 g de beurre fondu
POUR LA MARINADE • une gousse d'ail • 1 cuillerée à café d'huile • 1 jus de citron • 1 pincée de sel • 1 petite pointe de couteau de pâte de piment.
POUR LES CROQUETTES • 1 kg de merlans • 2 œufs entiers • 1 gousse d'ail pilée • 1 poignée de persil plat et de coriandre hachés •150 g de mie de pain (ou chapelure) trempée dans du lait •1 pincée de noix de muscade râpée ou de poudre de cannelle •1/2 cuillerée à café de safran en pistils • 100 g de farine • sel et poivre moulu • 1 bassinée d'huile de friture

• Pour les croquettes, écrasez à la fourchette ou pilez la chair crue des merlans avec tous les autres ingrédients.

• Formez des boulettes de la taille d'une noix que vous roulez dans la farine.

• Faites frire ces boulettes à l'huile, pendant 5 minutes, juste au moment de servir le plat, de façon à les présenter brûlantes sur la semoule. On offre habituellement une sauce tomate très relevée.

Présentation du plat

• Servez la semoule arrosée de bouillon dans un grand plat, entourée des légumes et du poisson, et d'une garniture d'œufs durs écalés, coupés en moitiés ou en tranches. Disposez par dessus les croquettes de poissons.

COUSCOUS BASSI SALTE

Les restaurants sénégalais sont très renommés en Afrique noire. Le couscous bassi salte est, avec le fameux thieb bou dienne *(riz au poisson)*, le grand plat de référence. La semoule est avantageusement parfumée à la poudre verte de baobab ou *lalaom-bep* qui la rend encore plus moelleuse. Cette poudre est obtenue en pilant les feuilles vertes de cet arbre gigantesque. Assez suave, elle a une très haute teneur en fer et en calcium. On en rapportera d'un voyage en Afrique, car il est pratiquement impossible d'en trouver ailleurs. Point n'est besoin d'aller au marché de Dakar, on trouve la semoule de mil un peu partout, dans les épiceries orientales, arabes ou africaines.

Préparation et cuisson

• Épluchez et coupez les légumes en gros morceaux. Les courgettes, les aubergines et le potiron seront cuits avec la peau.

• Dans la marmite de la couscoussière, faites chauffer l'huile pour y mettre à dorer sur feu vif, les morceaux de viande avec les oignons et les poireaux. Remuez.

• Ajoutez les légumes en finissant par les plus tendres et les plus fragiles, comme la tomate. Saisissez alors la marmite par les anses pour la secouer et bien faire sauter tous les ingrédients qui devront toucher, tour à tour, le fond de l'ustensile, pendant quelques minutes.

• Versez deux litres d'eau salée, avec le bouquet garni, le piment et le poivre. Couvrez et laissez cuire pendant 1 heure 30 avant de procéder à la cuisson de la semoule comme dans les recettes précédentes.

• N'ajoutez les haricots précuits qu'au dernier moment dans le bouillon.

• Si vous utilisez de la semoule de mil, le premier mouillage doit se faire avec de l'eau additionnée de jus de citron vert. Pour la deuxième cuisson de la semoule, ajoutez les fruits secs et saupoudrez, si possible, couche par couche, de poudre de baobab.

Temps

• préparation : 40 minutes

• cuisson : 1 heure 30 (soupe) plus 30 à 45 minutes (semoule)

Pour 6 personnes

POUR LE BOUILLON • 1 gros poulet coupé en 6 ou 1kg de collier ou de haut de côtes de mouton coupés en morceaux • 2 poireaux émincés

• 250 g d'oignons émincés • 1 concombre • 1 grosse courgette et/ou 250 g de potiron • 3 aubergines (africaines, rondes et amères si possible)

• 3 tomates, fraîches, en conserve ou l'équivalent en concentré

• 500 g de patates douces • 150 g de haricots blancs précuits ou en conserve • 3 carottes • 3 navets • 1 bouquet garni (thym, laurier, persil, céléri) • 1 piment pili-pili ou rond • 3 cuillerées à soupe d'huile d'arachide • sel et poivre moulu

POUR LA SEMOULE • 500 g de semoule (de blé ou de mil)

• 1 citron vert pour le couscous de mil • 100 g de raisins secs

• 6 figues sèches coupées en quatre • 12 dattes dénoyautées

• 2 ou 3 bananes séchées coupées en morceaux

• 1 cuillerée à soupe de poudre de baobab, si possibles

BAOBAB (Adamsonia digitalia)

Lalaom-bep désigne les feuilles de cet arbre gigantesque qui s'utilisent en Afrique Noire, particulièrement au Sénégal, pilées en une poudre verte condimentaire assez suave, à très haute teneur de fer et de calcium. On en parfume la sauce ou la semoule des couscous.

COUSCOUS BASSI AU BŒUF

Le couscous bassi au bœuf est le plat de prédilection du peuple Peul, que l'on trouve en Afrique occidentale sahélo-soudanienne. Les origines très lointaines de cette ethnie sont attestées par les peintures rupestres du Tassili. Ce peuple de pasteurs, pour la plupart musulmans, possède certains traits physiques particuliers tels que le front haut, les attaches fines, le teint clair ou les cheveux ondés que le métissage a dilués néanmoins. De nombreuses hypothèses farfelues sur leurs origines et sur leurs coutumes subsistent pourtant encore dans l'imaginaire européen.

Ils élèvent des bœufs-lyre auxquels la forme de leurs cornes confère une élégance particulière. La semoule peut être de blé ou mieux de mil.

Préparation et cuisson

• Pilez les oignons et mettez-les dans la marmite de la coussière avec la viande et les os. Versez deux litres d'eau salée et lancez l'ébullition sur feu vif.

• Pendant ce temps, coupez le chou en fines lanières. Mélangez au piment et à la pâte d'arachide. Laissez en attente jusqu'à mi-cuisson de la viande. Jetez alors la préparation dans le bouillon et mélangez bien.

• Un petit truc : la viande est cuite lorsque le gras de l'arachide surnage. Ôtez-le alors à la cuillère.

• Vous aurez préparé la semoule comme indiqué précédemment et vous la mettez dans le tamis de la coussière au-dessus du bouillon, pour la même cuisson que précédemment.

Présentation du plat

• Mettez le couscous dans un grand plat chaud, entouré du chou récupéré dans l'écumoire. Posez dessus les morceaux de viande. Arrosez de quelques louches de bouillon et servez aussitôt.

Temps
• préparation : 30 minutes
• cuisson : 2 heures (viande) plus 30 à 45 minutes (semoule)

Pour 6 personnes
LE BOUILLON • 750 g de jarret de bœuf et un os à moelle ou une crosse
• 2 oignons • 1/2 petit chou pommé • 250 g d'arachides crues moulues ou du beurre d'arachide • 1 pointe de poudre de piment
• sel et poivre moulu
POUR LA SEMOULE • 750 g de semoule moyenne de blé ou de mil
• 1 jus de citron vert pour le couscous de mil

PIMENTS (Capsicum annuum)

Les différentes variétés s'utilisent fraîches ou séchées, entières ou en poudre. Du plus doux *felfla hara*, au plus fort *felfel driss* ou piment rouge, sans oublier l'incendiaire pilipili sénégalais ou "langues d'oiseau". Le paprika *felfel akri* est une autre. La fameuse harissa est une émulsion de poudre de piment, plus ou moins virulent, dans de l'huile et du sel. La sauce harissa provient de cette pâte délayée dans une louchée de bouillon.

COUSCOUS DE BOULGOUR ET DE MIL

Ce couscous, très savoureux, a traversé la mer Rouge avec les convois d'esclaves entre les XVe et XIXe siècles. Il faut à la fois du boulgour et de la semoule de mil, que l'on trouvera dans les magasins de régime, les épiceries arabes ou orientales. La pintade sauvage (djidad), à la base du plat d'origine, peut raisonnablement être remplacée par la petite pintade d'élevage, très savoureuse tout de même ; rien n'empêche de faire appel à des pigeons ou des coquelets. L'ajout de tomates est de tradition récente. Autrefois, au

Tchad, on utilisait spécialement le tabag *pour le roulage de la semoule à l'eau salée, un plateau de paille tressée, qui est devenu un article décoratif destiné aux touristes. La cannelle (Cinnamomum verum, karfa) est l'écorce de l'arbre cannelier de Ceylan. Doyenne de toutes les épices connues, on l'utilise généralement sous forme de poudre dans toute la cuisine maghrébine, sucrée mais surtout salée, en particulier pour les sauces blanches algériennes. Les Algériens parfument parfois leur café d'un petit bâton d'écorce.*

Préparation et cuisson

• 6 heures avant la mise en route du repas, mélangez les deux semoules et roulez-les à l'eau fraîche comme pour les autres couscous. Puis laissez sécher.

• Faites chauffer l'huile dans une cocotte pour y mettre à revenir les morceaux de volaille et de viande avec l'oignon et l'ail. Remuez.

• Coupez les tomates en petits morceaux, ajoutez-les à la viande avec le concentré. Faites prendre couleur, puis mettez les épices choisies, et un demi-litre d'eau. Couvrez et faites mijoter

Temps
• prévoir pour le roulage du couscous, 6 heures avant sa cuisson
• préparation : 45 minutes • cuisson simultanée : 1 heure 30

Pour 8 personnes
POUR LE BOUILLON • 2 pintades ou 2 coquelets ou 4 pigeonneaux coupés • 400 g de collier de mouton • 4 cuillerées à soupe d'huile • 100 g d'oignons hachés très finement • 2 gousses d'ail pilées • 500 g de potiron coupé en morceaux • 400 g de tomates et 2 cuillerées à soupe de concentré • 1 cuillerée à soupe de coriandre en grains pilés • 1/2 cuillerée à café d'épices au choix : paprika, cari, curcuma ou *ras al-hanout*… • 1 pointe de piment • 1/2 cuillerée de safran en pistils • 1/2 cuillerée à café de poudre de cannelle
POUR LA SEMOULE • 500 g de couscous de mil • 500 g de boulgour • 50 g de beurre salé

pendant 1 heure environ.

• Ajoutez alors le potiron coupé en gros dés. Couvrez et laissez cuire encore 15 minutes.

• Par ailleurs, procédez à la cuisson du couscous. Dans une sauteuse, mettez à fondre le beurre, puis versez la semoule. Faites bien prendre couleur. Ajoutez un litre d'eau, et, dès le début de l'ébullition, baissez le feu et cuisez à feu doux pendant 20 minutes. Remuez de temps à autre.

Présentation du plat

• Servez la semoule dans un plat et le ragoût dans un autre.

TABBOULEH

Cette salade de couscous se fait en principe avec du boulgour, mais la semoule de blé, moyenne, convient tout aussi bien. L'authentique tabbouleh, préparé selon la recette exacte, est de couleur verte, car il ne contient absolument pas de tomate, mais de nombreuses herbes vertes aromatiques. La semoule ne doit pas être cuite, simplement humidifiée. La coriandre (Coriandrum sativum linne, kosbar) désigne les feuilles vertes ou persil arabe, tavel s'applique aux petites graines rondes et brunes. Les deux formes proviennent d'une ombellifère à laquelle ses ennemis reprochent un léger goût de punaise. Les feuilles ne doivent jamais cuire et on en parsème la surface du plat au moment du service. Les graines, à piler quelque peu, parfument les soupes, les farces, les saucisses, les sauces, les ragoûts, les vinaigrettes et les marinades.

Préparation
• Mettez la semoule dans un grand saladier. Couvrez d'eau froide.
• Laissez gonfler pendant 15 minutes, puis versez dans une passoire pour égoutter.
• Pressez bien à la main pour exprimer encore l'eau superflue, et remettez en saladier avec tous les ingrédients hachés finement : le persil, la coriandre, les oignons, le concombre, et la menthe. Parfois l'on y ajoute le zeste haché des citrons. (Pour cela il faut, bien sûr, s'assurer que les écorces n'aient pas subi de traitement chimique). Mélangez avec l'huile d'olive et le jus des citrons, salez, poivrez.
• Goûtez et rectifiez l'assaisonnement au besoin.

• Couvrez avec une feuille de film plastique alimentaire et mettez au réfrigérateur pour quelques heures, jusqu'au moment de servir.

Présentation du plat
• Servez le tabbouleh dans un grand saladier et parsemez la semoule de feuilles de menthe entières et de tranches de citron.

Temps
• À préparer quelques heures à l'avance • gonflage : 15 minutes
• préparation : 15 minutes • cuisson : néant

Pour 4 personnes
• 1 gros bouquet de persil plat haché menu • 1/2 bouquet de coriandre hachée très fin (tiges et têtes) • 1/2 botte d'oignons nouveaux hachés finement • 1 concombre haché finement • 3 cuillerées à soupe de menthe fraîche hachée très fin • 4 cuillerées à soupe d'huile d'olive • le jus d'un citron ordinaire • le jus d'un citron vert • sel et poivre moulu • 200 g de couscous ou de *boulgour*

LA MENTHE (Mentha spicata)
Cette variété est très commune dans les régions méditerranéennes. Son goût est prononcé et ses feuilles d'un vert intense sont longues et étroites. Ses qualités rafraîchissantes sont exploitées depuis toujours pour tempérer les goûts épicés typiques de la cuisine du Moyen-Orient. Pour les mêmes raisons, lotions et savons en font grand usage. Les Grecs en additionnaient généreusement l'eau de leurs bains.

COUSCOUS SUCRÉ AUX RAISINS

Seffa biz-zebib

La semoule de blé dur s'utilise également pour la confection d'entremets, comme on le fait généralement en Europe avec la semoule classique. Nous ne pouvions pas, ici, ne pas parler de la préparation de quelques-unes de ces douceurs, aussi simples qu'authentiques. Ces desserts algériens et tunisiens comme tous les entremets demandent de la semoule fine. Généralement on les accompagne d'un laitage.

Préparation du couscous sucré aux raisins

• Roulez le couscous selon la recette type. Faites cuire à la vapeur au-dessus d'une marmite d'eau pure, en comptant 15 minutes après les premières volutes de vapeur au-dessus des grains.

• Videz la semoule dans le grand plat, arrosez d'un bol d'eau pure et fraîche. Laissez gonfler pendant 15 minutes.

• Procédez de même pour la deuxième fois, mais à la troisième, utilisez de l'eau salée. Même temps de cuisson.

• Entre-temps, vous aurez rincé et égoutté les raisins secs que vous déposez dans le fond du tamis de la couscoussière. Versez dessus le couscous pour une quatrième et ultime cuisson.

Présentation du plat

• Beurrez et sucrez à votre goût mais point trop, car une fois la semoule dressée en dôme dans le plat de service, vous la recouvrirez du mélange sucre et cannelle, parsemé de mini-dragées ou de nonpareilles. Servez chaud avec le laitage de votre choix.

Temps
• préparation : 45 minutes • cuisson : 1 heure 30 environ

Pour 6 personnes
• 500 g de semoule fine • 150 g de raisins secs • 1 pincée de sel
• 100 g de beurre fin • 100 g de sucre en poudre • 100 g de sucre en poudre mélangé avec 1 cuillerée à café de poudre de cannelle
• 50 g de petites dragées ou de nonpareilles de couleur

ET AUX DATTES

Temps
• cuisson et préparation : 1 heure environ

Matériel de service
• 8 coupelles

Pour 8 personnes
• 500 g de couscous • 500 g de dattes mûres, dénoyautées et coupées en quatre • 250 g de sucre en poudre • 1/2 cuillerée de poudre de cannelle • 1 douzaine de cerneaux de noix grossièrement hachés
• 1 douzaine de pistaches grossièrement hachées

Préparation et cuisson du couscous sucré aux dattes

• Roulez et faites cuire la semoule à la vapeur comme pour la recette type, mais au-dessus d'une marmite d'eau pure (un litre seulement).

• Pour la troisième cuisson, disposez dans le tamis des couches alternées de grains de semoule et de dattes, en finissant par une couche semoule.

• La troisième cuisson terminée, versez dans l'eau le sucre et la cannelle. Remuez bien et refaites prendre le bouillon pendant 15 minutes de manière à obtenir un sirop.

• Versez le couscous cuit dans ce sirop avec les noix et remuez encore tandis que vous baissez le feu, pendant 5 minutes. Puis éteignez.

Présentation du plat

• Versez l'appareil dans les coupelles et saupoudrez de pistaches. Servez froid ou tiède.

la gastronomie maghrébine : une richesse insoupçonnée

Si la semoule, généralement appelée couscous même sans son accompagnement de légumes, de viandes ou de poissons, fait l'ordinaire des foyers maghrébins, surtout les plus modestes, la gastronomie d'Afrique du Nord est beaucoup plus riche et variée que le touriste ne le croit en général. C'est comme si le succès de ce plat avait fini par faire oublier les autres. De toute façon, les restaurateurs se simplifient la vie proportionnellement à l'ignorance des clients. À part les restaurants haut de gamme, la tradition gastronomique locale est familiale, mais, hélas, le visiteur partage très rarement la table des nationaux, si ce n'est en de grandes occasions où l'on sert, comme de bien entendu, un couscous de gala. Celui-ci, souvent plus dispendieux que de coutume, donne par ailleurs une image tronquée de cette spécialité.

53

Assortiment de tajines : aux œufs, à la viande, aux légumes, salés ou sucrés, il en existe une variété presque infinie.

Le secret des épices

La cuisine marocaine est considérée à juste titre comme une des plus riches du monde. Même sans parler des préparations princières ou bourgeoises, ou d'un repas de *difha*, le raffinement des accords aromatiques, dont aucun n'est fortuit et avec lesquels on joue comme dans une partition musicale, procure un plaisir à la fois physique et intellectuel.

Le fameux *ras al-hanout,* mélange d'épices utilisé dans toute l'Afrique du Nord, atteint au Maroc la véritable perfection. Le marchand d'épices marocain (l'*attar*) passe des journées à doser et à piler les composantes de son *ras al-hanout,* qui comprend des épices (cardamome, cannelle, macis, galanga, maniguette, muscade, quatre-épices, poivre, girofle, gingembre…), des fleurs (belladone, iris, lavande, rose…) des insectes (cantharide…) qui constituent son secret.

Le *maajoun,* autre mélange célèbre, est de plus un aphrodisiaque : il comprend du haschich, du miel, du gingembre, des glands de chêne, des amandes et des raisins secs moulus. Le sucré et le salé se marient avec allégresse depuis des siècles, mais le juste dosage de ces saveurs reste un art incomparable.

54

À Taroudannt, au Maroc, l'*attar* ou marchand d'épices dose les mélanges dont il garde jalousement le secret.

La difha, banquet de légende

La très haute cuisine traditionnelle fut, dès l'origine, confiée aux soins des esclaves domestiques et, plus tard, aux servantes et serviteurs à qui on ne pardonnait ni maladresse, ni précipitation.

Les grands banquets se caractérisent par l'abondance et la finesse des mets.

La *bastilla*, servie en entrée, est un feuilleté sucré salé où l'on retrouve de la chair de pigeon dépiautée, dans un suave appareil d'amande et d'œuf, parfumé, entre autres, de miel, de safran, de cannelle et de gingembre. Le feuilleté, translucide et léger comme un souffle, est une pâte si finement étirée au rouleau comme à la main, qu'il faut la replier cent cinquante fois pour obtenir les cent cinquante feuilles du gâteau dans lequel se niche la farce, elle-même fruit d'un travail minutieux.

Suivent alors les méchouis, rôtis de mouton cuits, selon la région, sur un brasier de plein air, ou à l'étouffée dans les fours coniques de pierre (dans le Haut-Atlas). De toute façon, la chair, que l'on arrache à la main, sera fondante, parfumée sous une peau craquante. On présente l'animal prosterné sur un grand plateau de cuivre et hérissé de brochettes d'abats.

Au méchoui succède un assortiment de volailles farcies de raisins secs, suivies par l'autre merveille

Ces plats en terre, ou tajines, dont le couvercle a une forme conique, portent le même nom que la préparation cuisinée qui, selon la tradition, y cuira pendant plusieurs heures à la chaleur diffuse d'un brasero.

marocaine : les tadjines, ragoûts de viandes (bœuf, chamelon, mouton, volailles) mitonnés au miel avec des légumes de saison, maraîchers ou sauvages : artichauts, gombos, cardons ou côtes de chardon, fruits frais ou secs, voire truffes. Tadjine désigne à la fois ces préparations suaves et longuement mijotées dans les braises, et aussi l'ustensile en terre vernissée dans lequel elles cuisent sous un couvercle tronconique.

À la suite de ce festin déjà pantagruélique, le couscous est seulement servi. Même admirable, mais succédant à un tadjine, aux truffes sur les tables les plus

riches, il ne rencontrera qu'un triomphe moral. Tout ce qui l'a précédé n'autorise à se délecter que de quelques boulettes de semoule légère que l'on jettera dans son gosier, en y pensant le moins possible, tant il est vrai que sous ces cieux la nature a horreur du plein.

Avant la présentation de pâtisseries toutes simples, comme les cornes de gazelle à la pâte d'amandes, ou les beignets *zelabia*, eux-mêmes annoncés par des fruits frais, on peut s'humecter les lèvres dans un grand verre de jus de fruits (orange, grenade…) ou de lait d'amandes. Trop boire est préjudiciable à l'appétit. Trop parler aussi. Aussi, les propos de table, s'ils ne sont anodins, ne sont pas de bon ton.

Le savoir-vivre

Tout le cérémonial veut que l'on savoure lentement cette abondance de délices. Mais la tradition est aussi très stricte sur la manière dont on doit se servir. À la main et sans le secours de cuillère, de fourchette ou de couteau. Ces accessoires sont parfaitement superflus, car tout a été coupé à la cuisine au préalable. Comme les Chinois, les Maghrébins et les Arabes pensent que les soins apportés à cette sorte d'autopsie d'un plat sont parfaitement vulgaires et pour le moins incompatibles avec la volupté et le plaisir d'un repas partagé.

Autrefois, on n'avait droit d'utiliser que la main droite, seule main pure. Et même, pour façonner les petites boulettes d'aliment et les porter à sa bouche, que les trois premiers doigts, l'annulaire et l'auriculaire restant repliés. Aussi, pour une *difha*, les hôtes, qui prennent leurs repas habituellement à l'occidentale autour d'une table de salle à manger garnie de porcelaines et d'argenterie, réservent à leurs invités des salons orientaux où des divans bas encadrent de petites tables rondes. Dès l'entrée du repas, les serviteurs auront proposé les aiguières d'eau parfumée afin que chacun puisse se laver les mains, avant de déchirer la *bastilla* du premier service. Ils reviendront à l'issue du repas pour que les convives se rincent la bouche et les doigts. Ces ablu-

56

tions terminées, la politesse veut que l'on fasse savoir à l'hôte combien on a été comblé par de telles agapes, en émettant un rot sonore, tandis que les serviteurs vaporisent de l'eau de rose ou de fleur d'oranger à travers la salle. On peut alors procéder au dernier rituel, celui du thé.

Le bon usage du thé à la menthe

Au Maroc, le thé à la menthe est servi dans de petits verres peints. À l'instar du thé de Chine, la menthe possède ses meilleurs crus. La menthe de Meknès reste la plus appréciée. Le thé est versé en alternance et puis simultanément à l'aide de deux théières tenues bien haut pour accroître le jet. En vérité, le grand thé des *difha* n'est pas que du thé à la menthe. Il est servi en trois étapes successives. Le premier thé est très léger et brûlant, sans menthe. Le second, plus fort, contient de la menthe. Le troisième, très fort, remplace la menthe par des fleurs d'absinthe et de sauge. Il n'existe pas de meilleures infusions digestives. Au printemps, le deuxième thé, celui à la menthe, contient également des boutons de rose et de l'ambre. Comble du raffinement ! …

Musiciens partageant un tajine : assis en tailleur à même le sol, les commensaux partagent le même plat, posé lui-même au sol, chacun puisant la nourriture avec ses doigts ou à l'aide d'un morceau de pain et dans la seule partie du plat qui se trouve devant lui.

57

La cuisine familiale marocaine

Le couscous constitue l'ordinaire de la famille marocaine, plus ou moins dispendieux suivant les moyens et donc généralement modeste, avec ou sans viande. On dit que le pauvre homme mange un jour son couscous aux légumes, et le jour suivant, ses légumes au couscous.

Les soupes, qu'elles soient juives ou musulmanes, sont délicieuses et très nutritives. Elles peuvent être servies à chacun des trois repas de la journée, matin, midi et soir. La soupe la plus populaire est la *harira*. Plat complet et unique comme le couscous, elle contient de la viande (bœuf et/ou mouton), des lentilles, des pois chiches, du vermicelle, du riz, des légumes, de la coriandre verte, du safran, du carvi ou quelque épice… C'est la *harira* qui rompt le jeûne du Ramadan, lorsque la première étoile s'allume. Eu égard au caractère sacré de la nourriture, et surtout de la soupe revigorante, celle-ci doit se manger bruyamment.

Le bouillon d'ail est une soupe que l'on porte à l'accouchée, sitôt la naissance. Il est à la fois thérapeutique et magique… avec son fort parfum relevé de safran, de menthe sauvage et de fleurs de thym.

La *brania*, morceau de mouton aux aubergines, plus ou moins onéreux, aromatisé de cannelle, de gingembre et de coriandre, n'est qu'un des mille tajines possibles.

Si les *bastilla* restent le plus souvent du domaine des rêves, les *trid*, empilement de crêpes très fines séparées par de la viande frite, permettent de célébrer le vingt-deuxième jour du Ramadan, ou les grandes occasions telles naissances, mariages, circoncisions…

Et les beignets de pâte d'amandes, au miel… ne sont qu'un aperçu de la longue liste des pâtisseries où l'on trouve les fondantes *ghorida* aux œufs et aux amandes, la *mnannachga*, feuilleté fourré d'amandes saupoudré de cannelle, sans oublier les fameuses cornes de gazelle…

Le "kouss-kouss" de George Sand

Dans son livre ravissant, *À la table de George Sand*, Christiane Sand a transcrit cette recette d'Aurore Sand, la petite-fille de l'écrivain. Peut-être apportée à Nohant par quelque ancien combattant du général Bugeaud, la recette était archivée avec la mention : "Très bon. Épicer davantage". "Mettre un kilo de viande de mouton dans une marmite en terre ou émaillée ou un pot-au-feu, après l'avoir coupé en morceaux et l'avoir fait revenir au beurre. Quand la viande est bien revenue, on verse dessus deux litres et demi d'eau froide, et on laisse cuire deux heures ; après quoi, on ajoute un bouquet, deux oignons coupés en morceaux, du sel, deux clous de girofle, pas mal de poivre, un peu de chou et de navet ou de la citrouille. Puis faire bien bouillir. Mettre le kess-kess (ou passoire) dessus, rempli de kouss-kouss et entouré d'un linge pour empêcher la vapeur de s'échapper autour du kess-kess. Il faut avoir préparé le kouss-kouss un grand quart d'heure avant, c'est-à-dire l'avoir lavé et lui avoir laissé assez d'humidité pour qu'il gonfle. Salez-le avant de le mettre au kess-kess. On le laisse alors jusqu'à ce que la vapeur passe au travers le kouss-kouss. Retirez-le alors, passez-y du beurre frais, peu, mettez sur un plat et dessus votre viande et les légumes. Servez le *mergah* (bouillon) à part. On peut remplacer le mouton par du poulet mais jamais par du bœuf. Ce n'est pas bon."
(Avec l'aimable autorisation des éditions Flammarion)

richesse culinaire en tunisie

La cuisine tunisienne est davantage méditerranéenne que sa cousine marocaine. Certainement pour des raisons historico-géographiques. Le Maroc, avec une petite façade sur la Méditerranée, a connu un long isolement, même sur le plan culinaire, depuis la prise de Grenade par les rois catholiques en 1492, lorsque les populations musulmane et juive durent fuir ces terres devenues inhospitalières et trouvèrent refuge au Maroc. La cuisine marocaine garde encore le souvenir de la cuisine espagnole qu'elle a côtoyée pendant des siècles.

En revanche, la Tunisie, de par sa position géographique, coupe la Méditerranée en deux. Elle touche presque l'Italie par la Sicile, et étire nonchalamment les plages sableuses du Sahel vers le Levant. Mouillages des premiers navigateurs phéniciens, position stratégique de Carthage, grenier pour Rome, bastion de

Marchands de fruits secs attendant le chaland.

l'Empire ottoman, refuge ou lieu de passage, colonisée, exploitée, la Tunisie a eu bien du mal à demeurer elle-même, ce qu'elle a finalement réussi, prouvant ainsi la force et la richesse du métissage.

La cuisine de rue

La gastronomie tunisienne exprime toute son histoire. Si elle séduit, c'est parce que ses hôtes ne s'y trouvent jamais dépaysés, tandis que l'imagination locale se livre à mille inventions personnelles. Le système de castes étant bien moins établi qu'au Maroc, la cuisine typique est essentiellement populaire. Dans tous les sens du terme, car les gens adorent manger dans la rue. Partout de petites gargotes proposent des en-cas au passant. Ainsi, les fameuses *brik*. La pâte très légère, universelle en ce pays, est appelée ici la *malsouka*. Pliée en forme de poche triangulaire, elle renferme, selon la fortune du client, soit un œuf, soit une farce aux herbes ; on la fait frire dans de vastes bassines. Les villes tunisiennes embaument davantage la friture que le jasmin, pourtant proposé tout au long des trottoirs.

Les chefs des grands restaurants locaux froncent le nez devant les *brik* comme devant les fricassés, beignets de miettes de thon, de pommes de terre et de harissa, ou les "sandwiches tunisiens", sortes de pains bagnats, farcis de thon, garniture qui convient bien

Poissons grillés au feu de bois.

au pain arabe, dense et savoureux, dont la farine contient de la mouture de blé dur local.

Les salades

Avant les repas, les consommateurs de tous milieux s'attardent paisiblement aux terrasses des cafés autour des *kemia*, petites salades apéritives d'origine juive espagnole : carottes cuites, grossièrement écrasées, navets crus, calamars, crevettes ou moules en escabèche, toutes relevées de harissa, de jus de citron et d'huile d'olive. La fameuse salade *mechouia*, c'est-à-dire grillée, se sert en hors-d'œuvre : mélange de tomates et de poivrons grillés au feu de bois, avec du thon, des œufs durs, du céleri, des câpres, largement "bénis" d'huile d'olive, de jus de citron et de harissa.

Poissons et fruits de mer

La tradition du poisson (et des fruits de mer), autre grande spécialité tunisienne, remonte à l'Antiquité. Déjà, la clientèle des halles de Rome reconnaissait la fraîcheur et la saveur des produits des rivages tunisiens, notamment des rougets, mulets et mérous. Le très célèbre Apicius dépensa les dernières pièces de la considérable fortune qu'il avait croquée, au sens littéral du mot, pour affréter une galère rapide, afin de venir en personne choisir les énormes cigales qu'on trouvait au large de La Goulette.

Les cigales, toujours rarissimes, hélas, sont des sortes de langoustes sans pinces, succulentes. Plus répandues, les énormes crevettes de Tabarka ou de Gabès, au goût de langouste, sont aussi grosses que des langoustines. À La Goulette, et dans toute la banlieue maritime de Tunis, le moindre restaurant vous sert le "complet poisson", plus ou moins opulent selon les lieux, mais toujours pêché du matin, grillé ou frit, accompagné de légumes tout aussi frais, le tout constituant un vaste repas complet.

La chakchouka, la kamounia, la klaia et les autres…

Parmi les plats de résistance classiques et populaires, la *chakchouka* est une délicieuse ratatouille bien relevée et citronnée, avec des oignons, des poivrons, des épinards parfois, des tomates et des pommes de terre, dans lesquels on poche un ou deux œufs par personne.

Si la *kamounia* nous paraît un gros ragoût peu enchanteur de bœuf et de foie au cumin, parlons davantage de l'excellente klaia, bœuf ou rognons braisés à l'huile d'olive, avec tomates ou piment. Ou du *gnaouia*, agneau en sauce de piments, de câpres et des gambas.

Le *koucha*, littéralement "four", est une épaule d'agneau mijotée au four avec des piments entiers et des pommes de terre.

Ce qu'on appelle ici tajine et non tadjine est une sorte de quiche sans croûte, cuite au four dans l'ustensile en terre du même nom. On mélange de la viande en petits morceaux avec des haricots blancs précuits et sautés à l'huile, des oignons, des œufs battus, du gruyère râpé… Il n'y a ni piments, ni épices, seulement du sel et du poivre. C'est dire l'origine tout à fait européenne de la préparation. Nul ne sait quelle épouse de colon ou quelle bonne sœur le concocta à la fin du siècle dernier. Mais le succès fut si large qu'il est devenu parfaitement "authentique", depuis au moins trois générations chez les Tunisiens bon teint.

Certains puristes préfèrent le tajine malsouka, pâté en croûte aristocratique cuit sous la cendre dans l'éternel ustensile. Le mélange secret et très aromatisé de viandes et de légumes est enrobé de la non moins éternelle pâte à feuilleté, vingt fois repliée sur elle-même.

Les fromages…

S'il existe aussi un très bon fromage bleu de brebis, qu'on pourrait confondre avec du roquefort, sachez que celui-ci provient de la région de Mateur, au nord près de Bizerte, et porte le nom de numidia.

… et les douceurs

Passons sur les douceurs, telles que le couscous sucré, les innombrables beignets au miel, les gâteaux, les pralines et les graines de sucre candi, ou le *lakloula* de Sfax, plus qu'énergétique rouleau de pâtes d'amandes, de cacahuètes, de raisins secs enrobés de sésame… Il faut rappeler que les dattes de Tunisie sont les meilleures du monde, venant des oasis de Tozeur, Nefta et Douz, dans l'extrême sud saharien, là où s'égare la route carrossable. Les plus sublimes se cueillent en novembre et portent le nom de *deglet en-nour,* doigts de lumière. À n'acheter qu'en rameau !

L'orange, le fruit du paradis

Paradis des fruits, si les espèces européennes sont cultivées en abondance, la Tunisie reste un haut lieu de l'orange. La fameuse maltaise a rendu immortel le souvenir de la douce favorite d'Ahmed Bey, le réformateur. Comme les champs de blé, les orangeraies sont l'héritage des Romains.

L'olive

Les oliveraies, dont la présence remonte à la plus haute antiquité, produisent l'huile d'olive, la seule matière grasse admise dans la cuisine tunisienne, excepté le *smen,* beurre de brebis, rance et acide au goût de roquefort qui s'utilise comme condiment dans de nombreux plats maghrébins. Dans le port de Sfax, capitale des olives, on peut encore voir, en attente comme il y a vingt

Des branches chargées de dattes mûres à Midès en Tunisie méridionale. Elles accompagnent rituellement la soupe *harira* qui rompt le jeûne quotidien, pendant toute la durée du Ramadan.

Cueillette des dattes à Touggourt en Algérie. Consommées à tout moment de l'année, elles entrent également dans la préparation de nombreux plats sucrés, dont un couscous.

62

siècles, des centaines de grosses amphores dont le modèle n'a pas changé, fichées au sol sur leur fond pointu. Aujourd'hui comme hier, leurs parois poreuses conserveront toute sa fraîcheur à l'huile particulièrement fruitée et de grande renommée.

Pas de cuisine sans épices

Un peu plus bas, de l'autre côté du golfe, la ville de Gabès est la patrie du plus fameux mélange d'épices tunisien. Dans les souks de la capitale, on réclame ainsi le *hrous,* préféré au *ras al-hanout,* un mélange de poudre de piments rouges secs, pilés avec des boutons de rose séchés, des graines de coriandre et du carvi. On peut y ajouter du jus d'oignons bien mûrs pilés.

Le plus vieux pain du monde

Enfin, il faut aussi rendre hommage à une spécialité très peu connue et en passe de disparition. Il s'agit de la plus ancienne recette de pain du monde, dont les bédouins ont gardé le secret. Ces nomades l'ont sûrement emportée avec eux dans leur errance millénaire depuis le Proche-Orient. La recette originale provient de l'Inde… où on l'utilise pour faire les *chappatti.* Car il s'agit de galettes sans levain, au goût amer, cuites sur les parois des fours en terre, contre lesquelles elles sont plaquées par un bâton. Leur nom, *kessra,* n'est pas arabe, naturellement. Elles servent d'assiette, lorsqu'on y dépose la portion de "plat du jour" servi à la communauté du campement.

Tunisiennes pressant les olives.

63

la tradition algérienne

Quelqu'un a écrit que l'Algérie n'est pas, comme on pourrait le croire, le pays des traditions à retracer, mais celui des traditions perdues. Celles des Berbères brutalement interrompues par les invasions et les colonisations qui furent le lot sans partage de toute l'Afrique du Nord, détruites aussi de l'intérieur, par la révolte du kharijisme au VIIIe siècle de notre ère. Ce premier mouvement de libération nationale, soucieux de chasser l'occupant arabe et de réformer l'islam, bien qu'encore jeune, anéantit également, dans sa folie puritaine ou égalitariste, les fondements de sa propre civilisation, emportée par le vent du fanatisme religieux vers l'infini du désert marquant le sud du Maghreb central, comme la Méditerranée en trace les contours du nord. Ce fut le grand mérite des populations berbères agrippées aux bastions montagneux de Kabylie, des Aurès et du Hoggar, de maintenir, voire de récupérer tous les éléments constitutifs d'une culture qui remonte au matin du monde et dont le génie s'exprime dans la cuisine traditionnelle, grande dans son humilité.

De nos jours, toutes les traditions culinaires déposées depuis deux millénaires de dominations diverses ont fini par s'intégrer et se fondre sur la table algérienne. Mais, plus que jamais, peut-être, les Algériens veulent retrouver leurs propres sources et exprimer leur très noble origine, entre autres, dans une cuisine riche et authentique.

Les Berbères, dont les Kabyles sont une ethnie, descendent tranquillement de l'éternité. Souvent blonds aux yeux bleus, on les retrouve dans toute l'Afrique du Nord, du Fezzan à la Libye, de la Méditerranée au Niger; leurs origines multiples sont sources aujourd'hui encore de débats; le peuple berbère a donné à l'histoire des figures comme Hannibal, Jugurtha ou saint Augustin.

Au commencement sont les épices

La vieille cuisine algérienne est plus rustique que sa sœur marocaine, et moins bourgeoise que la tunisienne. Les goûts sont plus francs, moins subtils, et aux savantes élaborations de saveurs du royaume d'à côté, on préfère la franche véhémence des épices en leur nature, brûlantes comme le sable saharien : poivres, piments, muscade, cannelle…

Le fameux *ras al-hanout* est même considéré comme galactogène. Relevant un bouillon de poulet déjà bien assaisonné de quatre-épices, il constitue, dit-on, une boisson de choix pour les jeunes accouchées. Dès sa première tétée, le bébé algérien assimile le goût du piment.

Aux quatre coins du pays

La cuisine pimentée est spécifique de l'est algérien, aux frontières de la Tunisie, connu aussi pour le grand usage qu'on y fait de la tomate, des pâtisseries au miel et aux dattes. Le centre, pays d'élevage, apprécie les sauces blanches, les laitages, la panure et les pâtisseries aux amandes. À la frontière du Maroc, les mets sont plutôt doux, veloutés… Les habitants du grand sud algérien, fort pauvres, s'alimentent essentiellement de couscous, de thé vert et célèbrent les événements marquants par des méchouis. L'on y trouve d'ailleurs les meilleurs rôtisseurs du pays.

La soupe, un complexe vitaminé

Mais que l'on vienne de l'une ou l'autre de ces régions, la soupe, *chorba*, *djari* ou *harira*, constitue la base de la nourriture. On y trouve les légumes de la saison, mais c'est aussi la présentation la plus classique des légumes secs. Rarement de la viande, si ce n'est des têtes de moutons, mais souvent des liaisons à l'œuf. Le jus de citron apporte ses vitamines, de toute éternité, même si on ignore jusqu'au mot de diététique. La tradition se trompe rarement.

A gauche.
Femme mauresque préparant le couscous dans la cour d'une maison. Dans les milieux ruraux, la cuisine se prépare souvent en plein air, dans la cour, lieu de vie familial.

Cannelle, poivre, muscade, badiane, cumin, coriandre, piment... Quelques-unes des épices qui entrent dans la composition du *hrour* ou du *ras al-hanout*.

65

De l'usage des pâtes alimentaires

Si les spécialistes de l'histoire culinaire ne se lassent pas de gloser sur l'origine des pâtes alimentaires, les Berbères ont peut-être leur réponse : à l'occasion des fêtes traditionnelles comme le repas offert le septième jour après la naissance d'un bébé, il est de coutume de préparer un plat ancestral, le *ftir,* crêpes fines en sauce, dont la pâte ne doit pas être confondue avec les feuilles de *dioul* achetées généralement toutes préparées et servant à préparer les *bourek,* homologues en forme de cigare des *brik* triangulaires de Tunisie. Déposés dans un plat creux, les *ftir* sont baignés d'une sauce, délicieux ragoût liquide de mouton ou de poulet aux légumes (navets, artichauts, tomates, oignons et pois chiches), fortement relevé de poivre et de cannelle. Les *ftir* sont confectionnés à partir de la semoule de blé dur, mais la plus fine qui soit, contrairement à celle du couscous *keskou,* qui n'utilise pas seulement le blé

dur des plaines, mais aussi, en montagne, l'orge local. Il existe encore une variante des *ftir,* les *mkarta,* littéralement les cartes (à jouer), en raison de leur forme carrée ou rectangulaire. De très petits carrés d'un centimètre de côté, d'une pâte de semoule de blé dur, enrichie d'amidon, pour les rendre plus légères sont cuits à la vapeur puis au bouillon.

Au quatorzième et au vingt-septième jour du mois de Ramadan, il est aussi de tradition de remplacer le couscous, pour rompre le jeûne, par un plat de pâtes qui devraient être de fabrication maison, sorte de vermicelles, cuits dans de la soupe à la tomate, ou soupe rouge, *chorba hamra.* Autrefois de poulet, avant l'arrivée de la tomate. Ce vermicelle peut être remplacé par du blé concassé *(borghol)* ou du couscous de millet *(tlitli bel-djed).*

Viandes et poissons

Poulet et mouton représentent la majeure partie des viandes consommées. Le bœuf donne le meilleur de lui-même dans les bouillis et les ragoûts longuement mijotés. Autrement, il est haché comme farce de légumes ou pour ces boulettes bien relevées d'ail, de piment, de cumin, les *mtoucm.*

Le poulet casserole aux amandes, *marqa djed bi louze,* est le grand plat des fêtes familiales, mariages ou circoncisions. La sauce au safran, onctueuse, est enrichie d'amandes mondées et de raisins de Corinthe. C'est un des rares plats admettant le mélange sucré salé. On fait revenir le poulet aux amandes dans un beurre, de préférence clarifié, le *smen.* La cuisine algérienne apprécie le beurre, contrairement à la tunisienne

L'heure du thé dans le Hoggar : le voyageur du désert a toujours avec lui les ingrédients indispensables à sa préparation.

66

qui ne connaît que l'huile d'olive. Il provient des nombreux élevages situés sur les contreforts des montagnes.

Le poisson est surtout consommé sur la côte, en sauce, en friture ou en boulettes, comme les délicieuses boulettes de sardines au cumin. À l'intérieur du pays on apprécie surtout la morue salée.

Des boissons

Dans le nord du pays, le café sucré et infusé à la turque est plus souvent offert aux visiteurs que le thé à la menthe, grande habitude du Sud. L'Algérien ne boit pas d'alcool, même si le vin représente une part appréciable du revenu national. Les boissons fraîches comme citronnade ou jus d'agrumes mélangés restent les boissons les plus appréciées, d'autant que les intégristes fustigent le Coca-Cola dont les jeunes se montrent si épris. Plus traditionnel, la *cherbat* est un sirop à la fleur d'oranger et à la cannelle que l'on sert lors des mariages et surtout pour le premier jour de jeûne de Ramadan d'un jeune garçon.

Dans les maisons traditionnelles kabyles, les *mechta,* qui ne comportent généralement qu'une seule pièce sans fenêtre, avec des resserres de rangement maçonnées et décorées de peintures géométriques par les femmes, il y a toujours un cagibi où des jarres à huile analogues à celles de Gafsa, sont fichées dans la terre battue comme on le faisait déjà il y a des millénaires. Le feu est entretenu à même le sol sur un emplacement carrelé, ou dans un fourneau portatif en terre, le *kanoun,* tandis que la fumée s'échappe par la porte. On y voit parfois un petit mortier et son pilon, propres à piler les grains.

La libération des figues

Dans cette grande réserve du passé algérien qu'est la Kabylie, on trouve encore des témoignages remontant à des temps mythiques. Ainsi, une coutume qui intéresse en un certain sens la gastronomie : nul ne peut cueillir des figues et encore moins les consommer avant que le sort ne soit levé. Vers le 15 août, le muezzin annonce la libération des figues, du haut des minarets. C'est une coutume qui exista en Grèce antique. Les prêtres chargés de proclamer l'événement s'y appelaient les sycophantes…

Très communes dans les pays du Maghreb, les figues arrivent à maturité au milieu de l'été.

Imprimé en Belgique par Casterman à Tournai.
Dépôt légal : avril 1994; D.1994/0053/78.